d

Dieses Taschenbuch enthält, in englisch-deutschem Parallel-druck, Erzählungen von Autoren des 20. Jahrhunderts.

Geschichten zum Lächeln oder Lachen oder Grinsen. Gut-mütige und ein-bisschen-böse Geschichten. Behaglich breite und knapp zugespitzte Geschichten. Britische Geschichten. Jedenfalls: unterhaltsame Geschichten.

Sieben Stück.

SMILE OR LAUGH OR GRIN

HEITERE BRITISCHE KURZGESCHICHTEN

Auswahl, Übersetzung und Anmerkungen von Richard Fenzl

Deutscher Taschenbuch Verlag

dtv zweisprachig

Ausführliche Informationen über
unsere Autoren und Bücher
finden Sie auf unserer Website
www.dtv.de

Deutsche Erstausgabe 1994
15. Auflage 2014
Deutscher Taschenbuch Verlag GmbH & Co. KG, München
Copyright-Nachweise Seite 185 f.
Umschlagkonzept: Balk & Brumshagen
Umschlagbild: Spencer Gore (1878–1914) Bahnstation (Ausschnitt)
Satz: Komdata, Nobber
Druck und Bindung: Kösel, Krugzell
Gedruckt auf säurefreiem, chlorfrei gebleichtem Papier
Printed in Germany. ISBN 978-3-423-09325-5

In a life of ninety-five years, my Uncle Silas found time to try most things, and there was a time when he became a grave-digger.

The churchyard at Solbrook stands a long way outside the village on a little mound of bare land above the river valley.

And there, dressed in a blue shirt and mulatto brown corduroys and a belt that resembled more than anything a length of machine shafting, my Uncle Silas used to dig perhaps a grave a month.

He would work all day there at the blue-brown clay without seeing a soul, with no one for company except crows, the pewits crying over the valley or the robin picking the worms out of the thrown-up earth. Squat, misshapen, wickedly ugly, he looked something like a gargoyle that had dropped off the roof of the little church, something like a brown dwarf who had lived too long after his time and might go on living and digging the graves of others for ever.

He was digging a grave there one day on the south side of the churchyard on a sweet, sultry day in May, the grass already long and deep, with strong golden cowslips rising everywhere among the mounds and the gravestones, and bluebells hanging like dark smoke under the creamy waterfalls of hawthorn bloom.

By noon he was fairly well down with the grave, and had fixed his boards to the sides. The spring had been very dry and cold, but now, in the shelter of the grave, in the strong sun, it seemed like midsummer. It was so good that Silas sat in the bottom of the grave and had his dinner, eating his bread and mutton off the thumb, and washing it down with the cold tea he always carried in a beer-bottle. After eating, he began to feel drowsy, and finally he went

In einem fünfundneunzigjährigen Leben fand mein Onkel Silas Gelegenheit, alles mögliche auszuprobieren, und so kam auch eine Zeit, da er Totengräber wurde.

Der Friedhof von Solbrook liegt weit außerhalb des Dorfes auf einer kahlen Anhöhe über dem Flußtal.

Dort hatte mein Onkel Silas so ungefähr einmal im Monat ein Grab auszuheben. Er trug ein blaues Hemd und kaffeebraune Kordhosen mit einem Gürtel, der mehr Ähnlichkeit mit einem Stück Treibriemen als mit sonst irgend etwas hatte.

Er arbeitete den ganzen Tag da draußen in dem bläulichbraunen Mergel, ohne eine Menschenseele zu sehen; niemand leistete ihm Gesellschaft außer den Krähen, den Lachmöwen, die über dem Tal kreischten, oder dem Rotkehlchen, das die Würmer aus der aufgeworfenen Erde pickte. Gedrungen, mißgestaltet, arg häßlich, sah er ein bißchen wie ein vom Dach der kleinen Kirche gefallener Wasserspeier aus, ähnlich einem braunen Zwerg, der seine Zeit überlebt hatte und vielleicht für immer weiterlebte und die Gräber anderer Leute aushob.

Einmal schaufelte er an einem lieblichen, schwülen Maientag auf der Südseite des Friedhofs gerade ein Grab aus; das Gras war schon lang und von sattem Grün; kräftige, goldene Schlüsselblumen schossen überall zwischen den Erdhügeln und den Grabsteinen in die Höhe, und Glockenblumen hingen wie dunkler Rauch unter den cremefarbenen Kaskaden von blühendem Weißdorn.

Bis Mittag war er ziemlich tief in das Grab hinuntergekommen und hatte seine Bohlen an den Seiten festgemacht. Der Frühling war sehr kalt und trocken gewesen, doch jetzt, im Schutz des Grabes und in der starken Sonne, war es wie im Hochsommer. Es war so angenehm, daß Silas auf dem Boden des Grabes saß und sein Mittagessen zu sich nahm, wobei er sein Brot und Hammelfleisch aus der Hand aß und mit dem kalten Tee hinunterspülte, den er immer in einer Bierflasche bei sich trug. Nach dem Essen wurde er schläfrig, und

to sleep there, at the bottom of the grave, with his wet, ugly mouth drooping open and the beer-bottle in one hand and resting on his knee.

He had been asleep for a quarter of an hour or twenty minutes when he woke up and saw someone standing at the top of the grave, looking down at him. At first he thought it was a woman. Then he saw his mistake. It was a female.

He was too stupefied and surprised to say anything, and the female stood looming down at him, very angry at something, poking holes in the grass with a large umbrella. She was very pale, updrawn and skinny, with a face, as Silas described it, like a turnip lantern with the candle out. She seemed to have size nine boots on and from under her thick black skirt Silas caught a glimpse of an amazing knickerbocker leg, baggy, brown in colour, and about the size of an airship.

He had no time to take another look before she was at him. She waved her umbrella and cawed at him like a crow, attacking him for indolence and irreverence, blasphemy and ignorance.

She wagged her head and stamped one of her feet, and every time she did so the amazing brown bloomer seemed to slip a little farther down her leg, until Silas felt it would slip off altogether. Finally, she demanded, scraggy neck craning down at him, what did he mean by boozing down there, on holy ground, in a place that should be sacred for the dead?

Now at the best of times it was difficult for my Uncle Silas, with ripe, red lips, one eye bloodshot and bleary, and a nose like a crusty strawberry, not to look like a drunken sailor. But there was only one thing that he drank when he was working, and that was cold tea. It was true that it was always cold tea with whisky in it, but the basis remained, more or less, cold tea.

8
9

schließlich schlief er dort, auf dem Grund des Grabes, ein; der feuchte, häßliche Mund ging auf und hing herab; in der einen Hand war die Bierflasche und ruhte auf seinem Knie.

Er hatte eine Viertelstunde oder zwanzig Minuten geschlafen, als er aufwachte und jemanden oben am Grab stehen und auf ihn herunterblicken sah. Zuerst dachte er, es sei eine Frau. Dann erkannte er seinen Irrtum. Es war ein Weibsbild.

Er war zu verblüfft und überrascht, als daß er etwas gesagt hätte, und die Weibsperson stand drohend da und blickte auf ihn herunter, ganz aufgebracht über irgendetwas; mit einem großen Schirm stocherte sie Löcher ins Gras. Sie war sehr bleich, würdevoll, spindeldürr, mit einem Gesicht, das, wie Silas es beschrieb, einer Rübenlampe ähnelte, aus der man die Kerze genommen hatte. Sie trug Stiefel von wahrscheinlich Größe 43 und unter ihrem dicken schwarzen Rock bekam Silas flüchtig ein tolles Bein in Knickerbockers zu sehen, bauschig, braun und etwa von der Größe eines Luftschiffs.

Er hatte nicht die Zeit, ein zweites Mal hinzuschauen, da legte sie sich schon mit ihm an. Sie schwenkte ihren Schirm und krächzte Silas an wie eine Krähe, wobei sie ihn wegen Trägheit und Pietätlosigkeit, Gotteslästerung und Unwissenheit beschimpfte.

Sie wackelte mit dem Kopf und stampfte mit einem ihrer Füße, und bei jeder dieser Bewegungen schien die tolle braune Pumphose ein bißchen weiter an ihrem Bein hinunterzurutschen, bis Silas das Gefühl hatte, sie würde vollends zu Boden gleiten. Schließlich fragte sie, wobei sie den dürren Hals zu ihm hinabreckte, was er sich denke, da unten zu saufen, an heiliger Stätte, an einem Ort, der den Toten geweiht sein sollte.

Nun fiel es meinem Onkel Silas selbst zu den besten Zeiten schwer, nicht den Eindruck eines betrunkenen Seemannes zu machen, mit blühenden, roten Lippen, einem blutunterlaufenen Triefauge und einer Nase, die wie eine mit einer Kruste überzogenen Erdbeere aussah. Doch wenn er bei der Arbeit war, gab es nur eines, was er trank, nämlich kalten Tee. Es war zwar stets kalter Tee mit Whisky, aber der Hauptbestandteil blieb, mehr oder weniger, kalter Tee.

Silas let the female lecture him for almost five minutes, and then he raised his panama hat and said, "Good afternoon, ma'am. Ain't the cowslips out nice?"

"Not content with desecrating holy ground," she said, "you're intoxicated, too!"

"No, ma'am," he said, "I wish I was."

"Beer!" she said. 'Couldn't you leave the beer alone in here, of all places?"

Silas held up the beer-bottle. "Ma'am," he said, "what's in here wouldn't harm a fly. It wouldn't harm you."

"It is responsible for the ruin of thousands of homes all over England!" she said.

"Cold tea," Silas said.

Giving a little sort of snort she stamped her foot and the bloomer-leg jerked down a little lower. "Cold tea!"

"Yes, ma'am. Cold tea." Silas unscrewed the bottle and held it up to her. "Go on, ma'am, try it. Try it if you don't believe me."

"Thank you. Not out of that bottle."

"All right. I got a cup," Silas said. He looked in his dinner basket and found an enamel cup. He filled it with tea and held it up to her. "Go on, ma'am, try it. Try it. It won't hurt you."

"Well!" she said, and she reached down for the cup. She took it and touched her thin bony lips to it. "Well, it's certainly some sort of tea."

"Just ordinary tea, ma'am," Silas said. "Made this morning. You ain't drinking it. Take a good drink."

She took a real drink then, washing it round her mouth.

"Refreshin', ain't it?" Silas said.

"Yes," she said, "it's very refreshing."

"Drink it up," he said. "Have a drop more. I bet you've walked a tidy step?"

"Yes," she said, "I'm afraid I have. All the way

Silas ließ es über sich ergehen, daß das Weibsbild ihm fast fünf Minuten lang die Leviten las, dann lüftete er seinen Panamahut und sagte: «Guten Tag, Gnädigste. Sind die Schlüsselblumen nicht hübsch herausgekommen?»

«Sie geben sich nicht damit zufrieden, heiligen Boden zu entweihen», sagte sie, «einen Rausch haben Sie auch noch!»

«Nein, Gnädigste,» sagte er, «ich wollt, ich hätt einen.»

«Bier!» sagte sie. «Könnten Sie es fertigbringen, das Bier wenigstens an diesem Ort hier nicht anzurühren?»

Silas hielt die Bierflasche in die Höhe. «Gnädigste», sagte er, «was da drinnen ist, würde keiner Fliege schaden. Es würde auch Ihnen nicht schaden.»

«Es ist verantwortlich für den Verderb von Tausenden von Familien in ganz England!» sagte sie.

«Kalter Tee», sagte Silas.

Sie gab eine Art leichtes Schnauben von sich, stampfte mit dem Fuß, und das Pumphosenbein bewegte sich ruckweise ein klein wenig tiefer. «Kalter Tee!»

«Ja, Gnädigste. Kalter Tee.» Silas schraubte die Flasche auf und hielt sie ihr hinauf. «Los, Gnädigste, versuchen Sie ihn. Versuchen Sie ihn, wenn Sie mir nicht glauben.»

«Danke. Nicht aus dieser Flasche.»

«Also gut. Ich hab eine Tasse», sagte Silas. Er sah in seinem Essenskorb nach und fand eine Emailtasse. Er füllte sie mit Tee und hielt sie ihr hinauf. «Los, Gnädigste, versuchen Sie ihn. Er wird Ihnen nicht schaden.»

«Gut!» sagte sie, und langte nach der Tasse hinunter. Sie nahm sie und befühlte sie mit ihren schmalen, knochenharten Lippen. «Na, es ist zweifellos irgendeine Art Tee.»

«Gewöhnlicher Tee», sagte Silas. «Heute morgen gemacht. Sie trinken ja nicht. Nehmen Sie einen ordentlichen Schluck!»

Sie nahm dann einen richtigen Schluck und ließ ihn im Mund kreisen.

«Erfrischend, nicht wahr?» sagte Silas.

«Ja», sagte sie, «er ist sehr erfrischend.»

«Trinken Sie aus!» sagte er. «Noch ein bißchen! Ich wette, daß Sie eine gehörige Strecke zurückgelegt haben, ja?»

«Ja», sagte sie, «leider habe ich das. Den ganzen Weg von

from Bedford. Rather farther than I thought. I'm not so young as I used to be."

"Pah!" Silas said. "Young? You look twenty." He took his coat and spread it on the new earth above the grave. "Sit down and rest yourself, ma'am. Sit down and look at the cowslips."

Rather to his surprise, she sat down. She took another drink of the tea and said, "I think I'll unpin my hat." She took off her hat and held it in her lap.

"Young?" Silas said. "Ma'am, you're just a chicken. Wait till you're as old as me and then you can begin to talk. I can remember the Crimea!"

"Indeed?" she said. "You must have had a full and varied life."

"Yes, ma'am."

She smiled thinly, for the first time. "I am sorry I spoke as I did. It upset me to think of anyone drinking in this place."

"That's all right, ma'am," Silas said. "That's all right. I ain't touched a drop for years. Used to, ma'am. Bin a regular sinner."

Old Silas reached up to her with the bottle and said, "Have some more, ma'am," and she held down the cup and filled it up again. "Thank you," she said. She looked quite pleasant now, softened by the tea and the smell of cowslips and the sun on her bare head. The bloomer-leg had disappeared and somehow she stopped looking like a female and became a woman.

"But you've reformed now?" she said.

"Yes, ma'am," Silas said, with a slight shake of his head, as though he were a man in genuine sorrow. "Yes, ma'am. I've reformed."

"It was a long fight?"

"A long fight, ma'am? I should say it was, ma'am. A devil of a long fight." He raised his panama hat a little. "Beg pardon, ma'am: That's another thing I'm fighting against. The language.

Bedford her. Eigentlich weiter, als ich gedacht habe. Ich bin nicht mehr so jung wie ich schon einmal war.»

«Ach was!» sagte Silas. «Jung? Sie sehen aus wie zwanzig.» Er nahm seine Jacke und breitete sie auf die frische Erde über dem Grab. «Setzen Sie sich und ruhen Sie ein wenig aus. Setzen Sie sich und betrachten Sie die Schlüsselblumen.»

Sie setzte sich, was ihn eher überraschte, nahm noch einen Schluck Tee und sagte: «Ich glaube, ich ziehe die Hutnadeln heraus.» Sie nahm den Hut ab und hielt ihn im Schoß.

«Jung?» sagte Silas. «Gnädigste, Sie sind ja noch ein Küken. Warten Sie, bis Sie so alt sind wie ich, dann können Sie erst mitreden. Ich kann mich an den Krimkrieg erinnern!»

«Wirklich?» sagte sie. «Sie müssen ein erfülltes und abwechslungsreiches Leben gehabt haben.»

«Ja, Gnädigste.»

Sie lächelte verhalten, zum ersten Mal. «Es tut mir leid, daß ich so gesprochen habe, wie ich's getan habe. Der Gedanke, jemand trinke an diesem Ort, hat mich aufgeregt.»

«Das ist ganz in Ordnung, Gnädigste», sagte Silas. «Ganz in Ordnung. Ich hab seit Jahren keinen Tropfen angerührt. Früher hab ich getrunken. War ein richtiger Sünder.»

Der alte Silas reichte ihr die Flasche hinauf und sagte: «Trinken Sie noch mehr, Gnädigste», und sie hielt die Tasse hinunter, und er füllte sie wieder auf. «Danke», sagte sie. Sie sah jetzt ganz vergnügt aus, milde gestimmt vom Tee, dem Duft der Schlüsselblumen und der Sonne auf ihrem entblößten Kopf. Die Pumphose war verschwunden und irgendwie hörte das Geschöpf auf, wie eine Weibsperson auszusehen, und es wurde eine Frau aus ihr.

«Aber jetzt sind Sie doch wohl trocken?» fragte sie.

«Ja, Gnädigste», sagte Silas und machte einen kleinen Ruck mit dem Kopf wie in tiefernster Nachdenklichkeit. «Ja, Gnädigste. Ich bin trocken.»

«War es ein langer Kampf?»

«Ein langer Kampf, Gnädigste? Ich würde sagen: Ja. Ein verdammt langer Kampf.» Er lupfte seinen Panama ein bißchen. «'tschuldigung bitte, Gnädigste. Ich kämpfe gerade gegen eine weitere Sache. Die Sprache.»

"And the drink," she said, "how far back does that go?"

"Well, ma'am," Silas said, settling back in the grave, where he had been sitting all that time, "I was born in the hungry 'forties. Bad times, ma'am, very bad times. We was fed on barley pap, ma'am, if you ever heard talk of barley pap. And the water was bad, too, ma'am. Very bad. Outbreaks of smallpox and typhoid and all that. So we had beer, ma'am. Everybody had beer. The babies had beer. So you see, ma'am," Silas said, "I've been fighting against it for eighty years and more. All my puff."

"And now you've conquered it?"

"Yes, ma'am," said my Uncle Silas, who had drunk more in eighty years than would keep a water-mill turning, "I've conquered it." He held up the beer-bottle. "Nothing but cold tea. You'll have some more cold tea, ma'am, won't you?"

"It's very kind of you," she said.

So Silas poured out another cup of the cold tea and she sat on the graveside and sipped it in the sunshine, becoming all the time more and more human.

"And no wonder," as Silas would say to me afterwards, "seeing it was still the winter ration we were drinking. You see, I had a summer ration with only a nip of whisky in it, and then I had a winter ration wi' pretty nigh a mugful in it. The weather had been cold up to that day and I hadn't bothered to knock the winter ration off."

They sat there for about another half an hour, drinking the cold tea, and during that time there was nothing she did not hear about my Uncle Silas's life: not only how he had reformed on the beer and was trying to reform on the language but he had long since reformed on the ladies and the horses and doubtful stories and the lying and everything else that a man can reform on.

«Und die Trinkerei», sagte sie, «wie lange ist das schon her?»

«Nun, Gnädigste», sagte Silas und ließ sich im Grab, in dem er die ganze Zeit gesessen hatte, zurückfallen, «ich bin in den Vierzigern, den Hungerjahren, geboren. Schlechte Zeiten, Gnädigste, sehr schlechte Zeiten. Man hat uns mit Gerstenbrei aufgezogen, Gnädigste, falls Sie je von Gerstenbrei haben reden hören. Auch das Wasser war schlecht. Sehr schlecht. Es gab Pocken und Typhus und das alles. Daher kriegten wir Bier. Jeder kriegte Bier. Die Säuglinge kriegten Bier. Sie sehen also, Gnädigste», sagte Silas, «ich habe achtzig Jahre lang und mehr dagegen angekämpft. Mein ganzes Leben lang.»

«Und Sie haben das Laster jetzt besiegt?»

«Ja, Gnädigste», sagte mein Onkel Silas, der in achtzig Jahren mehr getrunken hatte, als ein Mühlrad brauchen würde, um sich dauernd zu drehen, «ich habe es besiegt.» Er hielt die Bierflasche in die Höhe. «Nichts als kalter Tee. Sie trinken doch noch ein bißchen kalten Tee, Gnädigste, ja?»

«Sehr nett von Ihnen», sagte sie.

Silas schenkte also eine weitere Tasse kalten Tee ein; die Frau saß am Rand des Grabes und schlürfte ihn im Sonnenschein; dabei wurde sie die ganze Zeit immer menschlicher.

«Und kein Wunder», wie Silas mir hinterher erzählte, «wenn man sah, daß es noch immer der Wintervorrat war, den wir getrunken haben. Weißt du, ich hatte einen Sommervorrat mit nur einem Schuß Whisky drin, und dann hatte ich einen Wintervorrat mit fast einem Krugvoll drin. Bis zu diesem Tag war es kalt gewesen, und ich hatte mir nicht die Mühe gemacht, mit dem Wintervorrat aufzuhören.»

Da saßen die beiden fast noch eine weitere halbe Stunde, tranken den kalten Tee, und während dieser Zeit gab es nichts, was sie über das Leben meines Onkels Silas nicht zu hören bekam: nicht nur, wie er vom Bier losgekommen war und wie er versuchte, sich sprachlich zu verbessern, sondern daß er sich seit langem gebessert hatte, was die Damen, die Pferde, die fragwürdigen Geschichten und das Lügen betraf und alles übrige, worin ein Mann sich bessern kann.

Indeed, as he finally climbed up out of the grave to shake hands with her and say good afternoon, she must have got the impression that he was a kind of ascetic lay brother.

Except that her face was very flushed, she walked away with much the same dignity as she had come. There was only one thing that spoiled it. The amazing bloomer-leg had come down again, and Silas could not resist it.

"Excuse me, ma'am," he called after her, "but you're liable to lose your knickerbockers."

She turned and gave a dignified smile and then a quick, saucy kind of hitch to her skirt, and the bloomer-leg went up, as Silas himself said, as sharp as a blind in a shop-window.

That was the last he ever saw of her. But that afternoon, on the 2.45 up-train out of Solbrook, there was a woman with a large umbrella in one hand and a bunch of cowslips in the other. In the warm, crowded carriage there was a smell of something stronger than cold tea, and it was clear to everyone that one of her garments was not in its proper place. She appeared to be a little excited, and to everybody's embarrassment she talked a great deal.

Her subject was someone she had met that afternoon.

"A good man," she told them. "A good man."

Als er schließlich wirklich aus dem Grab herauskletterte, um ihr die Hände zu schütteln und guten Tag zu sagen, muß sie den Eindruck gewonnen haben, er sei so etwas wie ein enthaltsam lebender Laienbruder.

Außer, daß ihr Gesicht sehr gerötet war, schritt sie ziemlich genauso würdevoll von dannen, wie sie gekommen war. Nur ein Umstand verpatzte die Sache. Das tolle Pumphosenbein war wieder nach unten gerutscht, und Silas konnte sich nicht die Bemerkung verkneifen: «Entschuldigen Sie, Gnädigste», rief er ihr nach, «aber Sie müssen damit rechnen, daß Sie Ihre Knickerbockers verlieren.»

Sie drehte sich um, lächelte hoheitsvoll, zog dann schnell und flott an ihrem Rock, und das Hosenbein ging, wie Silas bei sich selbst sagte, so plötzlich in die Höhe wie eine Schaufensterjalousie.

Das war das letzte, was er überhaupt von ihr sah. Doch an jenem Nachmittag saß im Zug, der um 2 Uhr 45 von Solbrook nach London fuhr, eine Frau mit einem großen Schirm in der einen Hand und einem Strauß Schlüsselblumen in der anderen. In dem warmen, überfüllten Wagen roch es nach etwas Stärkerem als nach kaltem Tee, und jedermann war klar, daß eines ihrer Kleidungsstücke nicht da war, wo es hingehörte. Sie schien ein wenig erregt zu sein, und zu jedermanns Verlegenheit plauderte sie viel.

Ihr Gesprächsgegenstand war jemand, den sie am Nachmittag getroffen hatte.

«Ein guter Mann», sagte sie zu ihnen. «Ein guter Mann.»

I

Lady Dain said: "Jee, if that portrait stays there much longer, you'll just have to take me off to Pirehill one of these fine mornings."

Pirehill is the seat of the great local hospital; but it is also the seat of the great local lunatic asylum; and when the inhabitants of the Five Towns say merely "Pirehill", they mean the asylum.

"I do declare I can't fancy my food nowadays," said Lady Dain, "and it's all that portrait!" She stared plaintively up at the immense oil painting which faced her as she sat at the breakfast-table in her spacious and opulent dining-room.

Sir Jehoshaphat made no remark.

Despite Lady Dain's animadversions upon it, despite the undoubted fact that it was generally disliked in the Five Towns, the portrait had cost a thousand pounds (some said guineas), and, though not yet two years old, it was probably worth at least fifteen hundred in the picture market. For it was a Cressage – it was one of the finest Cressages in existence.

It marked the summit of Sir Jehoshaphat's career. Sir Jehoshaphat's career was, perhaps, the most successful and brilliant in the entire social history of the Five Towns. This famous man was the principal partner in Dain Brothers. His brother was dead, but two of Sir Jee's sons were in the firm. Dain Brothers were the largest manufacturers of cheap earthenware in the district, catering chiefly for the American and Colonial buyer. They had an extremely bad reputation for cutting prices. They were hated by every other firm in the FiveTowns, and, to hear rival manufacturers talk, one would gather the impression that Sir Jee had acquired a tremendous fortune

18
19

I

Lady Dain sagte: «Jee, wenn dieses Porträt noch viel länger dort hängen bleibt, wirst du mich eines schönen Morgens nach Pirehill bringen müssen.»

In Pirehill befindet sich das große Ortskrankenhaus; aber auch die große hiesige Irrenanstalt befindet sich hier, und wenn die Bewohner der Fünf Städte nur «Pirehill» sagen, meinen sie die Anstalt.

«Ich erkläre nachdrücklich, daß mir das Essen jetzt nicht schmeckt», sagte Lady Dain, «und daran ist nur dieses Bild schuld!» Sie starrte klagend auf das riesige Ölbild ihr gegenüber, als sie in ihrem geräumigen, üppig ausgestatteten Speisezimmer am Frühstückstisch saß.

Sir Jehoshaphat sagte nichts.

Ungeachtet Lady Dains Abneigung gegen das Porträt, ungeachtet der unbestrittenen Tatsache, daß es allgemein in den Fünf Städten nicht gemocht wurde, hatte es tausend Pfund (einige sagten tausend Guineen) gekostet, und obschon noch keine zwei Jahre alt, war es im Kunsthandel bestimmt mindestens fünfzehnhundert wert. Denn es war ein Cressage — eines der hervorragendsten Bilder von Cressage, die es gab.

Es bezeichnet den Gipfel von Sir Jehoshaphats Laufbahn. Sie war vielleicht die erfolgreichste und glanzvollste in der ganzen Sozialgeschichte der Fünf Städte. Dieser berühmte Mann war der Hauptpartner in der Fa. Gebrüder Dain. Sein Bruder war tot, aber zwei von Sir Jees Söhnen waren in der Firma. Die Gebr. Dain waren die größten Hersteller billiger Töpferware im Bezirk, die vor allem den amerikanischen Markt und den Markt in den Kolonien belieferten. Sie hatten einen äußerst schlechten Ruf als Preisdrücker. Bei jeder anderen Firma in den Fünf Städten waren sie verhaßt, und wenn man Konkurrenzunternehmer reden hörte, pflegte man den Eindruck zu gewinnen, Sir Jee habe ein ungeheures Vermögen dadurch erworben, daß er planmäßig Waren unter den

by systematically selling goods under cost. They were hated also by between eighteen and nineteen hundred employees. But such hatred, however virulent, had not marred the progress of Sir Jee's career.

He had meant to make a name, and he had made it. The Five Towns might laugh at his vulgar snobbishness. The Five Towns might sneer at his calculated philanthropy. But he was, nevertheless, the best-known man in the Five Towns, and it was precisely his snobbishness and his philanthropy which had carried him to the top. Moreover, he had been the first public man in the Five Towns to gain a knighthood. The Five Towns could not deny that it was very proud indeed of this knighthood. The means by which he had won this distinction were neither here nor there – he had won it. And was he not the father of his native borough? Had he not been three times mayor of his native borough? Was not the whole northern half of the county dotted and spangled by his benefactions, his institutions, his endowments?

And it could not be denied that he sometimes tickled the Five Towns as the Five Towns likes being tickled. There was, for example, the notorious Sneyd incident. Sneyd Hall, belonging to the Earl of Chell, lies a few miles south of the Five Towns, and from it the pretty Countess of Chell exercises that condescending meddlesomeness which so frequently exasperates the Five Towns. Sir Jee had got his title by the aid of the Countess – "Interfering Iris", as she is locally dubbed. Shortly afterwards he had contrived to quarrel with the Countess; and the quarrel was conducted by Sir Jee as a quarrel between equals, which delighted the district. Sir Jee's final word in it had been to buy a single tract of land near Sneyd village, just off the Sneyd estate, and to erect thereon a mansion quite as imposing as Sneyd Hall, and far more up to date, and to call the mansion

Gestehungskosten verkaufte. Auch bei den achtzehn- bis neunzehnhundert Beschäftigten waren die Gebr. Dain verhaßt. Doch solcher Haß, mochte er noch so feindselig sein, hatte den Verlauf von Sir Jees Karriere nicht beeinträchtigt.

Er hatte im Sinn gehabt, sich einen Namen zu machen, und den hatte er sich gemacht. Die Fünf Städte mochten über seine platte Vornehmtuerei lachen. Sie mochten über seine berechnete Menschenliebe die Nase rümpfen. Aber er war dennoch der bestbekannte Mann in den Fünf Städten, und gerade seine Vornehmtuerei und seine Menschenliebe hatten ihn an die Spitze getragen. Zudem war er die erste Persönlichkeit des öffentlichen Lebens in den Fünf Städten gewesen, die in den Ritterstand erhoben wurde. Die Fünf Städte konnten nicht leugnen, daß sie in der Tat sehr stolz auf diese Ritterwürde waren. Die Mittel, durch die er diese Auszeichnung errungen hatte, spielten keine Rolle – er hatte die Ehrung einfach errungen. Und war er nicht der Vater seiner Heimatstadt? War er nicht dreimal ihr Bürgermeister gewesen? War nicht die ganze nördliche Hälfte der Grafschaft dicht übersät von seinen Wohltaten, seinen Einrichtungen, seinen Stiftungen?

Und es war nicht zu leugnen, daß er manchmal die Fünf Städte belustigte, weil sie sich gern belustigen lassen. Da war zum Beispiel der nur allzu bekannte Vorfall um Sneyd. Sneyd Hall, Besitztum des Grafen von Chell, liegt ein paar Meilen südlich der Fünf Städte, und von dort mischt sich die hübsche Gräfin von Chell in ihrer herablassend leutseligen Art überall ein, was die Fünf Städte so häufig aufbringt. Sir Jee hatte seinen Titel mit der Hilfe der Gräfin erhalten – der «Lästigen Iris», wie sie von den Einheimischen genannt wird. Kurz darauf hatte er es fertiggebracht, mit der Gräfin in Streit zu geraten; und die Auseinandersetzung wurde von Sir Jee als ein Streit unter Gleichgestellten geführt, was den Bezirk entzückte. Sir Jee hatte zuletzt damit aufgetrumpft, daß er ein einzelnes Stück Land in der Nähe des Dorfes Sneyd, unweit vom Sneyd-Landsitz, kaufte und darauf ein Herrenhaus errichtete, welches ebenso eindrucksvoll wie Sneyd Hall und wesentlich moderner war, und daß er das Haus

Sneyd Castle. A mighty stroke! Iris was furious, the Earl speechless with fury. But they could do nothing. Naturally the Five Towns was tickled.

It was apropos of the housewarming of Sneyd Castle, also of the completion of his third mayoralty, and of the inauguration of the Dain Technical Institute, that the movement had been started (primarily by a few toadies) for tendering to Sir Jee a popular gift worthy to express the profound esteem in which he was officially held in the Five Towns. It having been generally felt that the gift should take the form of a portrait, a local dilettante had suggested Cressage, and when the Five Towns had enquired into Cressage, and discovered that that genius from the United States was celebrated throughout the civilized world, and regarded as the equal of Velazquez (whoever Velazquez might be), and that he had painted half the aristocracy, and that his income was regal, the suggestion was accepted and Cressage was approached.

Cressage haughtily consented to paint Sir Jee's portrait on his usual conditions; namely, that the sitter should go to the little village in Bedfordshire where Cressage had his principal studio, and that the painting should be exhibited at the Royal Academy before being shown anywhere else. (Cressage was an RA but no one thought of putting RA after his name. He was so big that, instead of the Royal Academy conferring distinction on him, he conferred distinction on the Royal Academy.)

Sir Jee went to Bedfordshire and was rapidly painted, and he came back gloomy. The Presentation Committee went to Bedfordshire later to inspect the portrait, and they, too, came back gloomy.

Then the Academy Exhibition opened, and the portrait, showing Sir Jee in his robe and chain and in a chair, was instantly hailed as possibly the most glorious masterpiece of modern times. All the critics

«Schloß Sneyd» nannte. Ein gewaltiger Streich! Iris war wütend, der Graf sprachlos vor Zorn. Doch sie konnten nichts machen. Natürlich waren die Fünf Städte belustigt.

Es geschah aus Anlaß des Einstandsfests auf Schloß Sneyd, auch aus Anlaß seiner zu Ende gehenden dritten Amtszeit als Bürgermeister, sowie der Einweihung des Technischen Instituts Dain, daß (hauptsächlich durch ein paar Speichellecker) die Bewegung in Gang gekommen war, Sir Jee ein Geschenk des Volkes anzubieten, das angemessen sei, die große Wertschätzung auszudrücken, die man ihm in den Fünf Städten entgegenbrachte. Da man allgemein glaubte, ein Porträt sei das geeignete Geschenk, hatte ein Kunstliebhaber der Stadt einen Cressage vorgeschlagen, und als die Fünf Städte sich über Cressage kundig gemacht und entdeckt hatten, daß dieses Genie aus den Vereinigten Staaten überall in der Kulturwelt gefeiert und als Velazquez ebenbürtig angesehen wurde (wer immer Velazquez sein mochte), daß er die Hälfte des Adels gemalt hatte und über ein königliches Einkommen verfügte, wurde der Vorschlag gebilligt, und man trat an Cressage heran.

Cressage willigte hochnäsig ein, Sir Jee zu seinen üblichen Bedingungen zu porträtieren, nämlich, daß das Modell sich in das Dörfchen in Bedfordshire begebe, wo Cressage sein Hauptatelier hatte, und daß das Gemälde in der Königlichen Akademie ausgestellt werde, ehe es irgendwo sonst gezeigt werde. (Cressage war ein königlich akademischer Maler, doch niemand dachte daran, hinter seinen Namen RA zu setzen. Er war so groß, daß er der Königlichen Akademie zu Ruhm verhalf, anstatt von ihr mit Ruhm bedacht zu werden.)

Sir Jee ging nach Bedfordshire und wurde rasch porträtiert; mit düsterer Miene kam er zurück. Später begaben sich Mitglieder des Schenkungsausschusses nach Bedfordshire, um das Bild zu besichtigen, und auch sie kehrten mit düsterer Miene zurück.

Dann wurde die Ausstellung in der Akademie eröffnet, und das Porträt, das Sir Jee in Amtstracht und Amtskette auf einem Sessel zeigte, wurde sogleich als das möglicherweise großartigste Meisterwerk der Moderne begrüßt. Alle Kritiker

were of one accord. The Committee and Sir Jee were reassured, but only partially, and Sir Jee rather less so than the Committee. For there was something in the enthusiastic criticism which gravely disturbed them. An enlightened generation, thoroughly familiar with the dazzling yearly succession of Cressage portraits, need not be told what this something was. One critic wrote that Cressage had displayed even more than "his customary astounding insight into character..." Another critic wrote that Cressage's observation was, as usual, "calmly and coldly hostile". Another referred to the "typical provincial mayor, immortalized for the diversion of future ages".

Inhabitants of the Five Towns went to London to see the work for which they had subscribed, and they saw a mean, little, old man, with thin lips and a straggling grey beard and shifty eyes, and pushful snob written all over him; ridiculous in his gewgaws of office. When you looked at the picture close to, it was a meaningless mass of coloured smudges, but when you stood fifteen feet away from it the portrait was absolutely lifelike, amazing, miraculous. It was so wondrously lifelike that some of the inhabitants of the Five Towns burst out laughing. Many people felt sorry – not for Sir Jee, but for Lady Dain. Lady Dain was beloved and genuinely respected. She was a simple, homely, sincere woman, her one weakness being that she had never been able to see through Sir Jee.

Of course, at the presentation ceremony the portrait had been ecstatically referred to as a possession precious for ever, and the recipient and his wife pretended to be overflowing with pure joy in the ownership of it.

It had been hanging in the dining-room of Sneyd Castle about sixteen months when Lady Dain told her husband that it would ultimately drive her into the lunatic asylum.

waren sich einig. Der Ausschuß und Sir Jee waren beruhigt, doch nur zum Teil, und Sir Jee eher weniger als der Ausschuß. Denn in der überschwenglichen Kritik war etwas, das sie ernstlich störte. Einer aufgeklärten Generation, die gründlich vertraut ist mit der verwirrenden jährlichen Reihe von Cressage-Bildnissen, braucht nicht gesagt zu werden, was dieses Etwas war. Ein Kritiker schrieb, Cressage habe sogar mehr als «seine gewohnte verblüffende Einsicht in das Wesen...» entfaltet. Ein anderer schrieb, Cressages Beobachtung sei, wie üblich, «auf ruhige und kalte Art feindlich». Ein weiterer bezog sich auf den «typischen Provinzbürgermeister, der zur Ergötzung kommender Geschlechter verewigt» worden sei.

Bewohner der Fünf Städte fuhren nach London, um das Werk zu sehen, für das sie gespendet hatten, und sie sahen ein unbedeutendes, altes Männchen, mit schmalen Lippen, einem widerspenstigen grauen Bart und durchtriebenem Blick, einen ganz und gar als rührigen Snob dargestellten alten Mann; lächerlich im Plunder seines Amtes. Sah man sich das Bild ganz aus der Nähe an, war es eine nichtssagende Masse bunter Kleckse; stand man aber fünfzehn Fuß davon entfernt, war es ein durchaus naturgetreues, erstaunliches, großartiges Porträt. Es war auf so wunderbare Weise lebensecht, daß einige Bewohner der Fünf Städte in Gelächter ausbrachen. Vielen tat Lady Dain leid, nicht etwa Sir Jee. Lady Dain wurde geliebt und wirklich geachtet. Sie war eine schlichte, häusliche, aufrichtige Frau, deren einzige Schwäche darin bestand, daß sie Sir Jee nie hatte durchschauen können.

Natürlich war bei der feierlichen Überreichung schwärmerisch darauf hingewiesen worden, daß es sich bei dem Porträt um einen kostbaren Besitz für alle Ewigkeit handle, und sowohl der Beschenkte wie seine Frau taten so, als seien sie darüber außer sich vor reiner Freude.

Das Bild hatte nun etwa sechzehn Monate im Speisesaal von Schloß Sneyd gehangen, als Lady Dain zu ihrem Ehemann sagte, es würde sie allen Ernstes noch ins Irrenhaus bringen.

"Don't be silly, wife," said Sir Jee. "I wouldn't part with that portrait for ten times what it cost."

This was, to speak bluntly, a downright lie. Sir Jee secretly hated the portrait more than anyone hated it. He would have been almost ready to burn down Sneyd Castle in order to get rid of the thing. But it happened that on the previous evening, in conversation with the magistrates' clerk, his receptive brain had been visited by a less expensive scheme than burning down the castle.

Lady Dain sighed.

"Are you going to town early?" she enquired.

"Yes," he said. "I'm on the rota today."

He was chairman of the borough Bench of Magistrates. As he drove into town he revolved his scheme, and thought it wild and dangerous, but still feasible.

II

On the Bench that morning Sir Jee shocked Mr Sheratt, the magistrates' clerk, and he utterly disgusted Mr Bourne, superintendent of the borough police. (I do not intend to name the name of the borough – whether Bursley, Henbridge, Knype, Longshaw, or Turnhill. The inhabitants of the Five Towns will know without being told; the rest of the world has no right to know.) There had recently occurred a somewhat thrilling series of burglaries in the district, and the burglars (a gang of them was presumed) had escaped the solicitous attentions of the police. But on the previous afternoon an underling of Mr Bourne's had caught a man who was generally believed to be wholly or partly responsible for the burglaries. The Five Towns breathed with relief, and congratulated Mr Bourne; and Mr Bourne was well pleased with himself. The *Staffordshire Signal* headed the item of news, "Smart Capture of a Sup-

«Sei nicht albern, Frau!» sagte Sir Jee. «Ich würde mich von dem Bild nicht um das Zehnfache von dem, was es gekostet hat, trennen.»

Das war, schlicht gesagt, eine glatte Lüge. Sir Jee verabscheute das Bildnis mehr als irgend jemand sonst. Er wäre fast bereit gewesen, Schloß Sneyd niederzubrennen, um das Ding loszuwerden. Doch es hatte sich zufällig ergeben, daß am Abend vorher, im Gespräch mit dem städtischen Gerichtsschreiber, in seinem wachen Geist ein viel weniger kostspieliger Plan aufgetaucht war als der, das Schloß niederzubrennen.

Lady Dain seufzte.

«Fährst du früh in die Stadt?» fragte sie.

«Ja», sagte er. «Ich habe heute Dienst.»

Er war Vorsitzender des Städtischen Gerichtshofs. Während er in die Stadt fuhr, entwickelte er seinen Plan; er hielt ihn für verwegen und gefährlich, doch immerhin für machbar.

II

Im Gericht brachte Sir Jee an jenem Morgen Mr Sheratt, den Gerichtsschreiber, aus der Fassung, und Mr Bourne, dem Leiter der Stadtpolizei, ging er maßlos auf die Nerven. (Ich habe nicht die Absicht, den Namen der Stadt zu nennen – ob es Bursley, Henbridge, Knype, Longshaw oder Turnhill war. Die Bewohner der Fünf Städte werden es wissen, ohne daß es ihnen gesagt wird; die restliche Welt hat kein Recht, es zu erfahren.) Unlängst war im Bezirk eine etwas aufsehenerregende Reihe von Einbrüchen erfolgt, und die Einbrecher (vermutlich eine ganze Bande) waren der Aufmerksamkeit der eifrig bemühten Polizei entgangen. Doch am vorhergehenden Nachmittag hatte ein Untergebener von Mr Bourne einen Mann erwischt, den man allgemein für die meisten, wenn nicht sogar für alle Einbrüche als verantwortlich ansah. Die Fünf Städte atmeten erleichtert auf und beglückwünschten Mr Bourne; und Mr Bourne war mit sich recht zufrieden. Die Zeitung *Staffordshire Signal* gab der Nachricht die Überschrift: «Gelungene Gefangennahme eines

posed Burglar". The supposed burglar gave his name as William Smith, and otherwise behaved in an extremely suspicious manner.

Now, Sir Jee, sitting as chief magistrate in the police court, actually dismissed the charge against the man! Overruling his sole colleague on the Bench that morning, Alderman Easton, he dismissed the charge against William Smith, holding that the evidence for the prosecution was insufficient to justify even a remand. No wonder that that pillar of the law, Mr Sheratt, was pained and shocked. At the conclusion of the case Sir Jehoshaphat said that he would be glad to speak with William Smith afterwards in the magistrates' room, indicating that he sympathized with William Smith and wished to exercise upon William Smith his renowned philanthropy.

And so, about noon, when the Court majestically rose, Sir Jee retired to the magistrates' room, where the humble Alderman Easton was discreet enough not to follow him, and awaited William Smith. And William Smith came, guided thither by a policeman, to whom, in parting from him, he made a rude, surreptitious gesture.

Sir Jee, seated in the armchair which dominates the other chairs round the elm table in the magistrates' room, emitted a preliminary cough.

"Smith," he said sternly, leaning his elbows on the table, "you were very fortunate this morning, you know."

And he gazed at Smith.

Smith stood near the door, cap in hand. He did not resemble a burglar, who surely ought to be big, muscular, and masterful. He resembled an undersized clerk who has been out of work for a long time, but who has nevertheless found the means to eat and drink rather plenteously. He was clothed in a very shabby navy-blue suit, frayed at the wrists

mutmaßlichen Einbrechers». Der mutmaßliche Einbrecher gab an, William Smith zu heißen und verhielt sich im übrigen äußerst verdächtig.

Nun ließ aber Sir Jee, der als oberster Beamter den Vorsitz im Polizeigericht führte, tatsächlich die Anklage gegen William Smith fallen! Er überstimmte seinen einzigen Kollegen im Gericht an jenem Morgen, den Ratsherrn Easton und ließ die Anklage gegen William Smith fallen, da er die Ansicht vertrat, die Beweise für eine Strafverfolgung reichten nicht aus, um auch nur eine Untersuchungshaft zu rechtfertigen. Kein Wunder, daß Mr Sheratt, diese Stütze des Gesetzes, schmerzlich betroffen und fassungslos war. Am Schluß der Sitzung sagte Sir Jehoshaphat, er würde sich freuen, hinterher mit William Smith im Richterzimmer zu sprechen, wobei er zu erkennen gab, daß er ihn gut leiden konnte und an ihm seine wohlbekannte Menschenliebe ausüben möchte.

So zog sich Sir Jee, als das Gericht um die Mittagszeit die Sitzung würdevoll beendete, ins Richterzimmer zurück, wohin ihm der bescheidene Ratsherr Easton aus lauter Rücksicht nicht folgte, und erwartete William Smith. Und der kam, von einem Polizisten hierher geleitet, den er, als sie sich trennten, mit einer patzigen, verstohlenen Gebärde bedachte.

Sir Jee, der in dem Sessel saß, der höher ist als die anderen Sessel um den Ulmentisch im Richterzimmer, hustete zunächst einmal.

«Smith», sagte er streng, wobei er die Ellbogen auf den Tisch legte, «Sie haben ja heute morgen sehr viel Glück gehabt.»

Und er sah Smith genau an.

Smith stand neben der Tür, mit der Mütze in der Hand. Er sah nicht wie ein Einbrecher aus, der natürlich groß, kräftig und gewalttätig sein sollte. Er ähnelte einem zu klein geratenen Schreiber, der seit langem arbeitslos ist und dennoch die Mittel aufgetrieben hat, ziemlich reichlich zu essen und zu trinken. Er trug einen sehr abgewetzten marineblauen Anzug, der an den Hand- und Fußgelenken durchgescheuert

and ankles, and greasy in front. His linen collar was brown with dirt, his fingers were dirty, his hair was unkempt and long, and a young and lusty black beard was sprouting on his chin. His boots were not at all pleasant.

"Yes, governor," Smith replied lightly, with Manchester accent. "And what's your game?"

Sir Jee was taken aback. He, the chairman of the borough Bench, and the leading philanthropist in the county, to be so spoken to! But what could he do? He himself had legally established Smith's innocence. Smith was free as air, and had a perfect right to adopt any tone he chose to any man he chose. And Sir Jee desired a service from William Smith.

"I was hoping I might be of use to you," said Sir Jehoshaphat diplomatically.

"Well," said Smith, "that's all right, that is. But none of your philanthropic dodges, you know. I don't want to turn over a new leaf, and I don't want a helpin' hand, nor none o' those things. And what's more, I don't want a situation. I've got all the situation as I need. But I never refuse money, nor beer neither. Never did, and I'm forty years old next month."

"I suppose burgling doesn't pay very well, does it?" Sir Jee boldly ventured.

William Smith laughed coarsely.

"It pays right enough," said he. "But I don't put my money on my back, governor; I put it into a bit of public-house property when I get the chance."

"It may pay," said Sir Jee. "But it is wrong. It is very anti-social."

"Is it, indeed!" Smith returned drily. "Anti-social, is it? Well, I've heard it called plenty o' things in my time, but never that. Now, I should have called it quite sociable-like – sort of making free with strangers, and so on. However," he added, "I came across a cove once as told me crime was no-

und vorn speckig war. Sein Leinenkragen war braun vor Schmutz, seine Finger waren dreckig, seine Haare ungekämmt und lang, und ein junger, frischer, schwarzer Bart sproß ihm am Kinn. Seine Schuhe boten überhaupt keinen erfreulichen Anblick.

«Ja, Chef», antwortete Smith gelassen, mit dem Akzent von Manchester. «Und was haben Sie vor?»

Sir Jee war verblüfft. So mit ihm, dem Vorsitzenden des Stadtgerichts und dem führenden Menschenfreund in der Grafschaft, zu reden! Doch was konnte er machen? Er selbst hatte Smiths Unschuld gesetzlich verankert. Smith war frei wie die Luft und hatte durchaus das Recht, gegenüber jedermann jedweden Ton anzuschlagen, der ihm beliebte. Und Sir Jee wollte ja von William Smith eine Gefälligkeit.

«Ich hoffte, ich könnte Ihnen von Nutzen sein», sagte Sir Jehoshaphat diplomatisch.

«Nun», sagte Smith, «das ist in Ordnung, wirklich. Aber bloß keinen Ihrer menschenfreundlichen Tricks. Ich will kein neues Leben anfangen und will keine helfende Hand oder dergleichen. Und außerdem will ich keinen Posten. Ich habe genau den Posten, den ich brauche. Doch Geld schlage ich nie aus, auch Bier nicht. Hab's nie getan, und ich werde im nächsten Monat vierzig Jahre alt.»

«Vermutlich bringt die Einbrecherei nicht sehr viel ein, oder?» wagte Sir Jee kühn einzuwenden.

William Smith lachte derb.

«Es bringt gerade genug ein», sagte er. «Aber ich lade mir mein Geld nicht auf den Rücken, Chef; ich stecke es in ein bißchen Wirtshausvermögen, wenn ich die Gelegenheit bekomme.»

«Es mag sich lohnen», sagte Sir Jee. «Doch es ist unrecht. Es ist sehr asozial.»

«Kann sein», erwiderte Smith trocken. «Asozial, ja? Im Lauf der Zeit habe ich viele Namen dafür gehört; den noch nie. Ich hätte es gesellschaftsfreundlich oder so genannt: man gibt sich zwanglos gegenüber Fremden, und so weiter. Ich stieß einmal», fügte er hinzu, «auf einen Kerl, der sagte, das Verbrechen sei nichts anderes als eine Krankheit und

thing but a disease, and ought to be treated as such. I asked him for a dozen of port, but he never sent it."

"Ever been caught before?" Sir Jee enquired.

"Not much!" Smith exclaimed, "And this'll be a lesson to me, I can tell you. Now, what are you getting at, governor? Because my time's money, my time is."

Sir Jee coughed once more.

"Sit down," said Sir Jee.

And William Smith sat down opposite to him at the table, and put his shiny elbows on the table precisely in the manner of Sir Jee's elbows.

"Well?" he cheerfully encouraged Sir Jee.

"How should you like to commit a burglary that was not a crime?" said Sir Jee, his shifty eyes wandering round the room. "A perfectly lawful burglary?"

"What *are* you getting at?" William Smith was genuinely astonished.

"At my residence, Sneyd Castle," Sir Jee proceeded, "there's a large portrait of myself in the dining-room that I want to have stolen. You understand?"

"Stolen?"

"Yes. I want to get rid of it. And I want – er – people to think that it has been stolen."

"Well, why don't you stop up one night and steal it yourself, and then burn it?" William Smith suggested.

"That would be deceitful," said Sir Joe gravely. "I could not tell my friends that the portrait had been stolen if it had not been stolen. The burglary must be entirely genuine."

"What's the figure?" said Smith curtly.

"Figure?"

"What are you going to give me for the job?"

"*Give* you for doing the job?" Sir Jee repeated, his secret and ineradicable meanness aroused. "*Give* you?

sollte als solche behandelt werden. Ich bat ihn um ein Dutzend Flaschen Portwein, doch er schickte sie mir nie.»

«Jemals zuvor erwischt worden?» erkundigte sich Sir Jee.

«Nie richtig!» rief Smith aus. «Das wird mir eine Lehre sein, das kann ich Ihnen sagen. Nun, worauf wollen Sie hinaus, Chef? Weil meine Zeit Geld ist, ja, meine Zeit ist Geld.»

Sir Jee hustete noch einmal.

«Setzen Sie sich», sagte Sir Jee.

Und William Smith setzte sich ihm gegenüber an den Tisch und legte seine durchgewetzten Ellbogen auf den Tisch, genau wie Sir Jee die seinen.

«Na», ermutigte er gutgelaunt Sir Jee.

«Was würden Sie davon halten, einen Einbruch zu begehen, der kein Verbrechen ist?» sagte Sir Jee, wobei seine Augen unstet im Raum herumwanderten. «Ein vollkommen rechtmäßiger Einbruch?»

«Worauf wollen Sie eigentlich hinaus?» William Smith war wirklich erstaunt.

«Auf Schloß Sneyd, meinem Landsitz», fuhr Sir Jee fort, «befindet sich im Speisesaal ein großes Porträt von mir; dieses Bild möchte ich mir gern stehlen lassen. Verstehen Sie?»

«Stehlen lassen?»

«Ja, ich will es loswerden. Und ich will – hm –, daß die Leute glauben, es sei gestohlen worden.»

«Na schön, aber warum bleiben Sie nicht eines Nachts auf, stehlen es selber und verbrennen es dann?» regte William Smith an.

«Das wäre hinterlistig», sagte Sir Jee ernst. «Ich könnte meinen Freunden nicht erzählen, das Bild sei gestohlen worden, wenn es nicht gestohlen worden ist. Der Einbruch muß völlig echt sein.»

«Was für ein Betrag?» sagte Smith knapp.

«Betrag?»

«Was *geben* Sie mir für die Arbeit?»

«Ihnen *geben*, damit Sie die Arbeit tun?» wiederholte Sir Jee, da seine verborgene und unausrottbare Knauserigkeit

Why, I'm giving you the opportunity to honestly steal a picture that's worth two thousand pounds – I dare say it would be worth two thousand pounds in America – and you want to be paid into the bargain! Do you know, my man, that people come all the way from Manchester, and even London, to see that portrait?" He told Smith about the painting.

"Then why are you in such a stew to be rid of it?" queried the burglar.

"That's my affair," said Sir Jee. "I don't like it. Lady Dain doesn't like it. But it's a presentation portrait, and so I can't – you see, Mr Smith?"

"And how am I going to dispose of it when I've got it?" Smith demanded. "You can't melt a portrait down as if it was silver. By what you say, governor, it's known all over the blessed world. Seems to me I might just as well try to sell the Nelson Column."

"Oh, nonsense!" said Sir Jee. "Nonsense! You'll sell it in America quite easily. It'll be a fortune to you. Keep it for a year first, and then send it to New York."

William Smith shook his head and drummed his fingers on the table; and then, quite suddenly, he brightened and said:

"All right, governor. I'll take it on, just to oblige you."

"When can you do it?" asked Sir Jee, hardly concealing his joy. "Tonight?"

"No," said Smith mysteriously. "I'm engaged tonight."

"Well, tomorrow night?"

"Nor tomorrow. I'm engaged tomorrow too."

"You seem to be very much engaged, my man," Sir Jee observed.

"What do you expect?" Smith retorted. "Business is business. I could do it the night after tomorrow."

"But that's Christmas Eve," Sir Jee protested.

"What if it is Christmas Eve?" said Smith coldly.

geweckt war. «Ihnen geben? Na, ich gebe Ihnen die Gelegenheit, ein Bild im Wert von zweitausend Pfund zu stehlen – ich wage zu behaupten, daß es in Amerika zweitausend Pfund wert wäre – und Sie wollen obendrein bezahlt werden! Wissen Sie, Mann, daß Leute den ganzen Weg von Manchester, selbst von London, herkommen, um dieses Bild zu sehen?» Er erzählte Smith von dem Gemälde.

«Warum sind Sie dann in solchen Schwulitäten, es loszuwerden?» wollte der Einbrecher wissen.

«Das ist meine Sache», sagte Sir Jee. «Mir gefällt es nicht. Lady Dain mag es nicht. Doch es ist eine Schenkung, und daher kann ich nicht – verstehen Sie, Mr Smith?»

«Und wie werde ich es abstoßen, wenn ich es habe?» fragte Smith. «Ein Bild kann man ja nicht einschmelzen, als wäre es Silber. Nach dem, was Sie sagen, Chef, ist es überall auf der verdammten Welt bekannt. Mir scheint, ich könnte ebensogut versuchen, die Nelson-Säule zu verkaufen.»

«Ach, Unsinn!» sagte Sir Jee. «Unsinn! Sie werden es in Amerika ganz leicht verkaufen. Es wird für Sie ein Vermögen darstellen. Behalten Sie es zuerst ein Jahr lang und schicken Sie es dann nach New York.»

William Smith schüttelte den Kopf und trommelte mit den Fingern auf den Tisch, dann hellte sich seine Miene auf, ganz plötzlich. und er sagte:

«In Ordnung, Chef. Ich will die Sache übernehmen, bloß um Ihnen einen Gefallen zu tun.»

«Wann können Sie das erledigen?» fragte Sir Jee, der seine Freude kaum verbergen konnte. «Heute nacht?»

«Nein», sagte Smith geheimnisvoll. «Heute nacht habe ich zu tun.»

«Gut, morgen nacht?»

«Morgen auch nicht. Ich bin auch morgen beschäftigt.»

«Sie scheinen sehr viel beschäftigt zu sein, Mann», bemerkte Sir Jee.

«Was glauben Sie denn?» erwiderte Smith. «Geschäft ist Geschäft. Ich könnte es in der übernächsten Nacht machen.»

«Das ist doch Heiligabend», wandte Sir Jee ein.

«Na und wenn schon – ?» sagte Smith kalt. «Wäre Ihnen

"Would you prefer Christmas Day? I'm engaged on Boxing Day, *and* the day after."

"Not in the Five Towns, I trust?" Sir Jee remarked.

"No," said Smith shortly. "The Five Towns is about sucked dry."

The affair was arranged for Christmas Eve.

"Now," Sir Jee suggested, "shall I draw you a plan of the castle, so that you can –"

William Smith's face expressed terrific scorn. "Do you suppose," he said, "as I haven't had the plans o' your castle ever since it was built? What do you take me for? I'm not a blooming excursionist, I'm not. I'm a business man – that's what I am."

Sir Jee was snubbed, and he agreed submissively to all William Smith's arrangements for the innocent burglary. He perceived that in William Smith he had stumbled on a professional of the highest class, and this good fortune pleased him.

"There's only one thing that riles me," said Smith in parting, "and that is that you'll go and say that after you'd done everything you could for me I went and burgled your castle. And you'll talk of the ingratitude of the lower classes. I know you, governor!"

III

On the afternoon of the 24th of December, Sir Jehoshaphat drove home to Sneyd Castle from the principal of the three Dain manufactories, and found Lady Dain superintending the work of packing up trunks. He and she were to quit the castle that afternoon in order to spend Christmas on the other side of the Five Towns, under the roof of their eldest son, John, who had a new house, a new wife, and a new baby (male). John was a domineering person, and, being rather proud of his house and all that was his,

der erste Weihnachtsfeiertag lieber? Am zweiten Weihnachtsfeiertag und am Tag danach habe ich zu tun.»

«Hoffentlich nicht in den Fünf Städten?» bemerkte Sir Jee.

«Nein», sagte Smith kurz. «Die Fünf Städte sind so gut wie ausgesaugt.»

Die Angelegenheit wurde für den Heiligabend abgemacht.

«Jetzt», schlug Sir Jee vor, «werde ich Ihnen einen Plan des Schlosses zeichnen, damit Sie...»

William Smiths Gesicht drückte schreckliche Verachtung aus. «Nehmen Sie denn an», sagte er, «daß ich die Pläne Ihres Schlosses nicht schon besitze, seitdem es erbaut wurde? Wofür halten Sie mich? Ich bin doch kein bescheuerter Ausflügler, wirklich nicht. Ich bin ein Geschäftsmann – jawohl, ein Geschäftsmann.»

Sir Jee hatte seinen Rüffel weg, und er stimmte unterwürfig allen Vorkehrungen William Smiths für den unschuldigen Einbruch zu. Er merkte, daß er in William Smith auf einen Profi allererster Güte gestoßen war, und dieser Glücksfall gefiel ihm.

«Nur eine einzige Sache wurmt mich», sagte Smith, als sie auseinandergingen, «nämlich, daß Sie sagen werden, ich sei, nachdem Sie alles für mich getan hatten, was Sie konnten, in Ihr Schloß eingebrochen. Und Sie werden über die Undankbarkeit der niederen Schichten reden. Ich kenne Sie, Chef!»

III

Am Nachmittag des 24. Dezember fuhr Sir Jehoshaphat von dem bedeutendsten der drei Dain-Betriebe heim nach Schloß Sneyd und traf Lady Dain an, wie sie die Aufsicht über das Kofferpacken führte. Er und sie sollten an diesem Nachmittag das Schloß verlassen, um Weihnachten auf der anderen Seite der Fünf Städte zu verbringen, und zwar unter dem Dach ihres ältesten Sohnes, John, der ein neues Haus, eine neue Frau und ein neues Baby (männlich) hatte. John war ein Mensch von herrenmäßiger Wesensart, und da er ziemlich stolz war auf sein Haus und auf alles, was ihm gehörte, hatte

he had obstinately decided to have his own Christmas at his own hearth. Grandpapa and Grandmamma, drawn by the irresistible attraction of that novelty, a grandson (though Mrs John *had* declined to have the little thing named Jehoshaphat), had yielded to John's solicitations, and the family gathering, for the first time in history, was not to occur round Sir Jee's mahogany.

Sir Jee, very characteristically, said nothing to Lady Dain immediately. He allowed her to proceed with the packing of the trunks, and then tea was served, and the time was approaching for the carriage to come round to take them to the station when at last he suddenly remarked:

"I shan't be able to go with you to John's this afternoon."

"Oh, Jee!" she exclaimed. "Really, you are tiresome. Why couldn't you tell me before?"

"I will come over tomorrow morning – perhaps in time for church," he proceeded, ignoring her demand for an explanation.

He always did ignore her demand for an explanation. Indeed, she only asked for explanations in a mechanical and perfunctory manner – she had long since ceased to expect them. Sir Jee had been born like that – devious, mysterious, incalculable. And Lady Dain accepted him as he was. She was somewhat surprised, therefore, when he went on:

"I have some minutes of committee meetings that I really must go carefully through and send off tonight, and you know as well as I do that there'll be no chance of doing that at John's. I've telegraphed to John."

He was obviously nervous and self-conscious.

"There's no food in the house," sighed Lady Dain. "And the servants are all going away except Callear, and *he* can't cook your dinner tonight. I think I'd better stay myself and look after you."

er gebieterisch entschieden, sein eigenes Weihnachten an seinem eigenen Herd zu begehen. Angezogen vom unwiderstehlichen Reiz dieser Neuheit, einem Enkel (obschon Mrs John es abgelehnt hatte, das kleine Ding Jehoshaphat zu nennen), hatten Großpapa und Großmama Johns dringenden Bitten nachgegeben, und zum erstenmal in der Geschichte sollte die Familienversammlung nicht um Sir Jees runden Mahagonitisch stattfinden.

Es war sehr bezeichnend für Sir Jee, daß er nicht gleich etwas zu Lady Dain sagte. Er ließ sie beim Kofferpacken weitermachen, dann wurde der Tee aufgetragen, und dann rückte der Zeitpunkt näher, da die Kutsche vorfahren sollte, um beide zum Bahnhof zu bringen. Da bemerkte er schließlich auf einmal:

«Ich werde heute nachmittag nicht mit dir zu John fahren können.»

«Ach, Jee!» rief sie. «Du bist wirklich schlimm. Warum hast du mir das nicht zuvor sagen können?»

«Ich werde morgen früh hinüberkommen – vielleicht rechtzeitig zum Gottesdienst», fuhr er fort und ließ ihre Frage nach einer Erklärung unbeantwortet.

Er ließ ihre Fragen nach einer Erklärung wirklich immer unbeantwortet. Sie bat in der Tat nur unwillkürlich und beiläufig um Erklärungen – schon lange hatte sie es aufgegeben, sie zu erwarten. Sir Jee war eben so von Geburt an – unaufrichtig, rätselhaft, unberechenbar. Und Lady Dain nahm ihn, wie er war. Sie war daher etwas überrascht, als er fortfuhr:

«Ich habe einige Protokolle von Ausschußsitzungen, die ich wirklich sorgfältig durchgehen und heute abend absenden muß, und du weißt so gut wie ich, daß es bei John keine Gelegenheit geben wird, das zu tun. Ich habe ihm ein Telegramm geschickt.»

Er war offensichtlich gereizt und befangen.

«Es ist nichts zu essen im Haus», seufzte Lady Dain. «Und die Diener gehen alle weg bis auf Callear, und *er* kann dir dein Abendessen nicht zubereiten. Ich glaube, es ist besser, daß ich selber hierbleibe und mich um dich kümmere.»

"You'll do no such thing," said Sir Jee decisively. "As for my dinner, anything will do for that. The servants have been promised their holiday, to start from this evening, and they must have it. I can manage."

Here spoke the philanthropist, with his unshakable sense of justice.

So Lady Dain departed, anxious and worried, having previously arranged something cold for Sir Jee in the dining-room, and instructed Callear about boiling the water for Sir Jee's tea on Christmas morning. Callear was the under-coachman and a useful odd man. He it was who would drive Sir Jee to the station on Christmas morning, and then guard the castle and the stables thereof during the absence of the family and the other servants. Callear slept over the stables.

And after Sir Jee had consumed his cold repast in the dining-room the other servants went, and Sir Jee was alone in the castle, facing the portrait.

He had managed the affair fairly well, he thought. Indeed, he had a talent for chicane, and none knew it better than himself. It would have been dangerous if the servants had been left in the castle. They might have suffered from insomnia, and heard William Smith, and interfered with the operations of William Smith. On the other hand Sir Jee had no intention of leaving the castle, uninhabited, to the mercies of William Smith. He felt that he himself must be on the spot to see that everything went right and that nothing went wrong. Thus the previously arranged scheme for the servants' holiday fitted perfectly into his plans, and all that he had had to do was to refuse to leave the castle till the morrow. It was ideal.

Nevertheless, he was a little afraid of what he had done, and of what he was going to permit William Smith to do. It was certainly dangerous – certainly

«Das wirst du nicht tun», sagte Sir Jee mit Entschiedenheit. «Was mein Abendessen angeht, genügt mir alles. Den Dienern ist ihr freier Tag, beginnend heute abend, versprochen worden, und sie müssen ihn haben. Ich kann zurechtkommen.»

Hier sprach der Menschenfreund, mit seinem unerschütterlichen Gerechtigkeitssinn.

So reiste Lady Dain ab, besorgt und bekümmert, nachdem sie zuvor noch etwas Kaltes für Sir Jee im Speisesaal vorbereitet hatte. Sie gab Callear Anweisung, wie das Wasser für Sir Jees Tee am Morgen des ersten Weihnachtstags zu kochen sei. Callear war der Unterkutscher und ein nützlicher Mann für Gelegenheitsarbeiten. Er würde am Morgen des ersten Weihnachtsfeiertags Sir Jee zum Bahnhof fahren und dann das Schloß und die dazugehörigen Ställe während der Abwesenheit der Familie und der anderen Diener bewachen. Callear schlief über den Ställen.

Und nachdem Sir Jee sein kaltes Mahl im Speisezimmer verzehrt hatte, gingen die anderen Diener fort, und Sir Jee war allein im Schloß, das Gesicht dem Porträt zugewandt.

Er hatte die Angelegenheit ziemlich gut eingefädelt, dachte er. Er hatte in der Tat eine Begabung für Rechtsverdrehung, und niemand wußte es besser als er selbst. Es wäre gefährlich gewesen, hätte man die Diener im Schloß belassen. Sie hätten an Schlaflosigkeit leiden, William Smith hören und seine Arbeit stören können. Andrerseits hatte Sir Jee nicht die Absicht, das Schloß in unbewohntem Zustand der rauhen Behandlung durch William Smith zu überlassen. Er hatte das Gefühl, er müsse selbst zugegen sein, um dafür zu sorgen, daß alles richtig ablief und nichts schiefging. Daher paßte der früher festgelegte Plan über den freien Tag der Diener vollkommen in seine Vorhaben, und alles, was er zu tun hatte, bestand darin. daß er es sich versagte, das Schloß bis zum Morgen zu verlassen. Es hätte sich nicht besser regeln lassen.

Dennoch war ihm ein wenig bange vor dem, was er getan hatte und vor dem, was er William Smith zu tun erlaubte. Es war gewiß gefährlich – gewiß ein ziemlich verwegenes Unter-

rather a wild scheme. However, the die was cast. And within twelve hours he would be relieved of the intolerable incubus of the portrait.

And when he thought of the humiliations which that portrait had caused him, when he remembered the remarks of his sons concerning it, especially John's remarks, when he recalled phrases about it in London newspapers, he squirmed, and told himself that no scheme for getting rid of it could be too wild and perilous. And, after all, the burglary dodge was the only dodge, absolutely the only conceivable practical method of disposing of the portrait – except burning down the castle. And surely it was preferable to a conflagration, to arson! Moreover, in case of fire at the castle some blundering fool would be sure to cry: "The portrait! The portrait must be saved!" And the portrait would be saved.

He gazed at the repulsive, hateful thing. In the centre of the lower part of the massive gold frame was the legend: "Presented to Sir Jehoshaphat Dain, Knight, as a mark of public esteem and gratitude", etc. He wondered if William Smith would steal the frame. It was to be hoped that he would not steal the frame. In fact, William Smith would find it very difficult to steal that frame unless he had an accomplice or so.

"This is the last time I shall see *you!*" said Sir Jee to the portrait.

Then he unfastened the catch of one of the windows in the dining-room (as per contract with William Smith), turned out the electric light, and went to bed in the deserted castle.

He went to bed, but not to sleep. It was no part of Sir Jee's programme to sleep. He intended to listen, and he did listen.

And about two o'clock, precisely the hour which William Smith had indicated, he fancied he heard muffled and discreet noises, Then he was sure that

fangen. Indes, die Würfel waren gefallen. Und binnen zwölf Stunden würde er von der unerträglichen Last des Porträts befreit sein.

Wenn er an die Demütigungen dachte, die dieses Bild ihm verursacht hatte, wenn er sich an die diesbezüglichen Bemerkungen seiner Söhne, besonders an die von John, erinnerte, wenn er sich Äußerungen darüber ins Gedächtnis rief, die in Londoner Zeitungen standen, dann krümmte er sich und sagte sich, daß kein Plan, das Bild loszuwerden, zu verwegen und gefährlich sein konnte. Und schließlich war der Dreh mit dem Einbruch der einzige Dreh, unbedingt der einzig denkbare und gangbare Weg, sich das Porträt vom Halse zu schaffen – es sei denn der, das Schloß niederzubrennen. Und gewiß war er dem Feuer, einer Brandstiftung vorzuziehen. Außerdem würde im Falle eines Schloßbrandes sicher irgend ein unbesonnener Narr schreien: «Das Bild ! Das Bild muß gerettet werden!» Und es würde gerettet werden.

Er starrte auf das widerwärtige verhaßte Ding. In der Mitte des unteren Teils des massiven Goldrahmens stand die Inschrift «Sir Jehoshaphat Dain, Ritter, zum Zeichen öffentlicher Wertschätzung und Dankbarkeit überreicht», usw. Er fragte sich, ob William Smith den Rahmen stehlen werde. Es war zu hoffen, daß er ihn nicht stehlen werde. Nun gut, William Smith würde schon merken. daß es schwer ist, diesen Rahmen zu stehlen, sofern er nicht etwa einen Helfer dabei hätte.

«Das ist das letzte Mal, daß ich *dich* sehen werde!» sagte Sir Jee zu dem Bildnis.

Dann lockerte er die Sicherung an einem der Fenster im Speisezimmer (wie mit William Smith vereinbart), drehte das elektrische Licht aus und ging in dem verlassenen Schloß zu Bett.

Er ging zu Bett, doch nicht um zu schlafen. Schlafen gehörte nicht zu Sir Jees Teil des Spielplans. Er hatte vor zu lauschen, und er lauschte tatsächlich.

Etwa um zwei Uhr, genau zu der Zeit, die William Smith angegeben hatte, glaubte er gedämpfte und verhaltene Geräusche zu hören. Dann war er sich sicher, daß er sie hörte.

he heard them. William Smith had kept his word. Then the noises ceased for a period, and then re-commenced. Sir Jee restrained his curiosity as long as he could, and, when he could restrain it no more, he rose and silently opened his bedroom window and put his head out into the nipping night air of Christmas. And by good fortune he saw the vast oblong of the picture, carefully enveloped in sheets, being passed by a couple of dark figures through the dining-room window to the garden outside. William Smith had a colleague, then, and he was taking the frame as well as the canvas. Sir Jee watched the men disappear down the avenue, and they did not reappear. Sir Jee returned to bed.

Yes, he felt himself equal to facing it out with his family and friends. He felt himself equal to pretending that he had no knowledge of the burglary.

Having slept a few hours, he got up early and, half-dressed, descended to the dining-room to see what sort of a mess William Smith had made.

The canvas of the portrait lay flat on the hearthrug, with the following words written on it in chalk: "This is no use to me." It was the massive gold frame that had gone.

Further, as was soon discovered, all the silver had gone. Not a spoon was left in the castle.

William Smith hatte Wort gehalten. Die Geräusche hörten danach eine Weile auf und setzten dann wieder ein. Sir Jee hielt seine Neugier zurück, solange er konnte, und als er es nicht mehr konnte, stand er auf, öffnete schweigend sein Schlafzimmerfenster und reckte den Kopf in die schneidende weihnachtliche Nachtluft hinaus. Und zum Glück sah er, wie das große Rechteck des Bildes, sorgfältig in Leinentücher eingewickelt, von zwei dunklen Gestalten durch das Fenster des Speisezimmers in den Garten hinausgeschafft wurde. William Smith hatte also einen Kollegen und nahm sowohl Bild wie Rahmen mit. Sir Jee beobachtete, daß die Männer die Allee entlang verschwanden und nicht wieder auftauchten. Er ging in sein Bett zurück.

Ja, er fühlte sich berechtigt, die Sache bei seiner Familie und den Freunden mit Unverfrorenheit zu vertreten. Er fühlte sich berechtigt, so zu tun, als hätte er von dem Einbruch keine Ahnung.

Nach ein paar Stunden Schlaf stand er früh auf und ging halb angekleidet ins Speisezimmer hinunter, um nachzusehen, was William Smith veranstaltet hatte.

Die Leinwand des Porträts lag flach auf dem Kaminvorleger und folgendes stand darauf mit Kreide geschrieben: «Dafür habe ich keine Verwendung.» Der massive Goldrahmen war jedoch weg.

Außerdem war, wie man bald entdeckte, das ganze Silber verschwunden. Im Schloß war kein einziger Löffel verblieben.

It was ten o'clock at night and Mr Bingham was talking to the mirror. He said "Ladies and gentlemen", and then stopped, clearing his throat, before beginning again, "Headmaster and colleagues, it is now forty years since I first entered the teaching profession – Will that do as a start, dear?'

"It will do well as a start, dear," said his wife Lorna.

"Do you think I should perhaps put in a few jokes," said her husband anxiously. "When Mr Currie retired, his speech was well received because he had a number of jokes in it. My speech will be delivered in one of the rooms of the Domestic Science Department where they will have tea and scones prepared. It will be after class hours."

"A few jokes would be acceptable," said his wife, "but I think that the general tone should be serious."

Mr Bingham squared his shoulders, preparing to address the mirror again, but at that moment the doorbell rang.

"Who can that be at this time of night?" he said irritably.

"I don't know, dear. Shall I answer it?"

"If you would, dear."

His wife carefully laid down her knitting and went to the door. Mr Bingham heard a murmur of voices and after a while his wife came back into the living room with a man of perhaps forty-five or so who had a pale rather haunted face, but who seemed eager and enthusiastic and slightly jaunty.

"You won't know me," he said to Mr Bingham. "My name is Heine. I am in advertising. I compose little jingles such as the following:

　　　　When your dog is feeling depressed
　　　　Give him Dalton's. It's the best.

Iain Crichton-Smith: Mr Heine

Es war zehn Uhr abends, und Mr Bingham sprach in den
Spiegel. Er sagte «Meine Damen und Herren» und hielt dann
inne, räusperte sich, ehe er wieder begann: «Herr Direktor,
liebe Kollegen: es ist jetzt vierzig Jahre her, seit ich erstmals
in den Schuldienst eintrat – Genügt das als Anfang, meine
Liebe?»

«Das paßt gut als Anfang, mein Lieber», sagte seine Frau
Lorna.

«Meinst du, ich sollte vielleicht ein paar Witze einstreu-
en?» sagte ihr Mann unruhig. «Als Mr Currie in den Ruhestand trat, wurde seine Rede gut aufgenommen, weil sie
mehrere Witze enthielt. Meine Rede wird in einem der
Räume der Hauswirtschaftsabteilung gehalten werden, wo
Tee und kleines Hefegebäck vorbereitet ist. Das wird nach
dem Unterricht stattfinden.»

«Ein paar Witze wären schon vertretbar», sagte seine Frau,
«doch ich habe das Gefühl, daß der Grundtenor ernst sein
sollte.»

Mr Bingham machte die Schultern rechtwinklig und schickte sich an, wieder in den Spiegel zu sprechen, doch in diesem
Augenblick läutete es an der Haustür.

«Wer kann das zu dieser nächtlichen Zeit sein?» sagte er
gereizt.

«Ich weiß es nicht, mein Lieber. Soll ich aufmachen?»

«Wenn du möchtest, meine Liebe.»

Seine Frau legte sorgsam ihr Strickzeug weg und ging zur
Tür. Mr Bingham hörte ein Stimmengemurmel, und nach
einer Weile kam seine Frau ins Wohnzimmer zurück mit
einem Mann, der vielleicht um die fünfundvierzig war. Er
hatte ein bleiches, ziemlich geisterhaft wirkendes Gesicht,
wirkte aber lebhaft, voller Begeisterung und etwas keck.

«Sie werden mich nicht kennen», sagte er zu Mr Bingham.
«Mein Name ist Heine. Ich bin in der Werbebranche. Ich ver-
fasse kleine Reimereien wie etwa diese:

Fühlt sich matt und schlapp dein Hund,
Schappi macht ihn gleich gesund.

I used to be in your class in 1944-5. I heard you were retiring so I came along to offer you my felicitations."

"Oh?" said Mr Bingham turning away from the mirror regretfully.

"Isn't that nice of Mr Heine?" said his wife.

"Won't you sit down?" she said and Mr Heine sat down, carefully pulling up his trouser legs so that he wouldn't crease them.

"My landlady of course has seen you about the town," he said to Mr Bingham. "For a long time she thought you were a farmer. It shows one how frail fame is. I think it is because of your red healthy face. I told her you had been my English teacher for a year. Now I am in advertising. One of my best rhymes is:

> Dalton's Dogfood makes your collie
> Obedient aud rather jolly.

You taught me Tennyson and Pope. I remember both rather well."

"The fact," said Mr Bingham, "that I don't remember you says nothing against you personally. Thousands of pupils have passed through my hands. Some of them come to speak to me now and again. Isn't that right, dear?"

"Yes," said Mrs Bingham, "that happens quite regularly."

"Perhaps you could make a cup of coffee, dear," said Mr Bingham and when his wife rose and went into the kitchen, Heine leaned forward eagerly.

"I remember that you had a son," he said. "Where is he now?"

"He is in educational administration," said Mr Bingham proudly. "He has done well."

"When I was in your class," said Mr Heine, "I was eleven or twelve years old. There was a group of boys who used to make fun of me. I don't know whether I have told you but I am a Jew. One

Ich war 1944-45 in Ihrer Klasse. Ich hörte, daß Sie in den Ruhestand treten; deshalb kam ich vorbei, um Ihnen meine Glückwünsche zu überbringen.»

«Oh!» sagte Mr Bingham und wandte sich bedauernd vom Spiegel ab.

«Ist das nicht nett von Mr Heine?» sagte seine Frau.

«Wollen Sie sich nicht setzen?» sagte sie, und Mr Heine nahm Platz, wobei er sorgfältig die Hosenbeine hochzog, um sie nicht zu verknittern.

«Meine Zimmerwirtin hat Sie natürlich irgendwo in der Stadt gesehen», sagte er zu Mr Bingham. «Lange glaubte sie, Sie seien ein Bauer. Das zeigt, wie schwankend der Ruhm ist. Ich denke, es ist wegen Ihres frischen gesunden Aussehens. Ich sagte ihr, daß Sie ein Jahr lang mein Englischlehrer gewesen waren. Jetzt bin ich in der Werbung tätig. Einer meiner besten Reime ist dieser:

Fidel und folgsam ist dein Hund,
Steckst du ihm Schappi in den Mund.

«Sie haben mir Tennyson und Pope nahegebracht. Ich erinnere mich ziemlich gut an die beiden.»

«Die Tatsache», sagte Mr Bingham, «daß ich mich nicht an Sie erinnere, besagt nichts gegen Sie persönlich. Tausende von Schülern sind durch meine Hände gegangen. Einige von ihnen kommen dann und wann, um sich mit mir zu unterhalten. Stimmt's, meine Liebe?»

«Ja», sagte Mrs Bingham, «das geschieht ganz regelmäßig.»

«Vielleicht könntest du eine Tasse Kaffee machen, meine Liebe», sagte Mr Bingham, und als seine Frau aufstand und in die Küche ging, beugte sich Mr Heine gespannt nach vorn.

«Ich entsinne mich, daß Sie einen Sohn hatten», sagte er. «Wo ist er jetzt?»

«Er ist in der Erziehungsverwaltung», sagte Mr Bingham. «Er hat sich gut gemacht.»

«Als ich in Ihrer Klasse war», sagte Mr Heine, «war ich elf oder zwölf Jahre alt. Es gab da eine Gruppe von Jungen, die sich immer über mich lustig machten. Ich weiß nicht, ob ich

of the boys was called Colin. He was taller than me, and fair-haired."

"You are not trying to insinuate that it was my son," said Mr Bingham angrily. "His name was Colin but he would never do such a thing. He would never use physical violence against anyone."

"Well," said Mr Heine affably, "it was a long time ago, and in any case

> The past is past and for the present
> It may be equally unpleasant.

Colin was the ringleader, and he had blue eyes. In those days I had a lisp which sometimes returns in moments of nervousness. Ah, there is Mrs Bingham with the coffee. Thank you, Madam."

"Mr Heine says that when he was in school he used to be terrorized by a boy called Colin who was fair-haired," said Mr Bingham to his wife.

"It is true," said Mr Heine, "but as I have said it was a long time ago and best forgotten about. I was small and defenceless and I wore glasses. I think, Mrs Bingham, that you yourself taught in the school in those days."

"Sugar?" said Mrs Bingham. "Yes. As it was during the war years and most of the men were away I taught Latin. My husband was deferred."

"*Amo, amas, amat,*" said Mr Heine. "I remember I was in your class as well.

"I was not a memorable child," he added, stirring his coffee reflectively, "so you probably won't remember me either. But I do remember the strong rhymes of Pope which have greatly influenced me. And so, Mr Bingham, when I heard you were retiring I came along as quickly as my legs would carry me, without tarrying.

I am sure that you chose the right profession. I myself have chosen the right profession. You, sir, though you did not know it at the time placed me in that profession."

es Ihnen erzählt habe, aber ich bin Jude. Einer der Jungen hieß Colin. Er war größer als ich und hatte blonde Haare.»

«Sie wollen doch nicht zu verstehen geben, daß es mein Sohn war», sagte Mr Bingham verärgert. «Er hieß Colin, doch so etwas tat er nie. Er wendete nie körperliche Gewalt gegen jemanden an.»

«Gut», sagte Mr Heine leutselig, «es ist lange her, und auf jeden Fall gilt:

Vorbei ist vorbei. Kann sein, daß die Leute
Als ebenso übel betrachten das Heute.

Colin war der Rädelsführer, und er hatte blaue Augen. Damals stieß ich mit der Zunge an, was in Augenblicken der Erregtheit manchmal wieder vorkommt. Ah, da ist Mrs Bingham mit dem Kaffee. Danke, gnädige Frau.»

«Mr Heine sagt, daß er, als er an der Schule war, von einem blonden Jungen namens Colins immer eingeschüchtert wurde», sagte Mr Bingham zu seiner Frau.

«Das stimmt», sagte Mr Heine, «doch wie ich schon gesagt habe: es ist lange her, und man vergißt es am besten. Ich war klein, schutzlos und Brillenträger. Mrs Bingham, ich glaube, Sie haben damals selber an der Schule unterrichtet.»

«Zucker?» sagte Mrs Bingham. «Ja. Da es während der Kriegsjahre war, und die meisten Männer weg waren, unterrichtete ich Latein. Mein Mann war vom Wehrdienst zurückgestellt.»

«Amo, amas, amat», sagte Mr Heine. «Ich erinnere mich, daß ich auch in Ihrer Klasse war.»

«Ich war kein Kind, das man sich einprägt», fügte er hinzu, wobei er nachdenklich seinen Kaffee umrührte, «daher werden auch Sie sich vermutlich nicht an mich erinnern. Doch ich erinnere mich wirklich an die starken Verse von Pope, die mich in hohem Maße beeinflußt haben. Und deshalb, Mr Bingham, kam ich, als ich hörte, daß Sie in den Ruhestand treten, ohne zu zögern hierher, so schnell mich meine Beine trugen. Ich bin sicher, daß Sie den richtigen Beruf gewählt haben. Ich habe selber den richtigen Beruf gewählt. Sie, Sir, haben mich in diesem Beruf gebracht, obwohl Sie es damals nicht wußten.»

Mr Bingham glanced proudly at his wife.

"I remember the particular incident very well," said Mr Heine. "You must remember that I was a lonely little boy and not good at games.

Keeping wicket was not cricket.

Bat and ball were not for me suitable at all.

And then again I was being set upon by older boys and given a drubbing every morning in the boiler room before classes commenced. The boiler room was very hot. I had a little talent in those days, not much certainly, but a small poetic talent. I wrote verses which in the general course of things I kept secret. Thus it happened one afternoon that I brought them along to show you, Mr Bingham. I don't know whether you will remember the little incident, sir."

"No," said Mr Bingham, "I can't say that I do."

"I admired you, sir, as a man who was very enthusiastic about poetry, especially Tennyson. That is why I showed you my poems. I remember that afternoon well. It was raining heavily and the room was indeed so gloomy that you asked one of the boys to switch on the lights. You said, 'Let's have some light on the subject, Hughes.' I can remember Hughes quite clearly, as indeed I can remember your quips and jokes. In any case Hughes switched on the lights and it was a grey day, not in May but in December, an ember of the done sun in the sky. You read one of my poems. As I say, I can't remember it now but it was not in rhyme. 'Now I will show you the difference between good poetry and bad poetry,' you said, comparing my little effort with Tennyson's work, which was mostly in rhyme. When I left the room I was surrounded by a pack of boys led by blue-eyed fair-haired Colin. The moral of this story is that I went into advertising and therefore into rhyme. It was a revelation to me.

Mr Bingham blickte stolz seine Frau an.

«Ich entsinne mich jenes besonderen Vorfalls sehr gut», sagte Mr Heine. «Sie müssen bedenken, daß ich ein einsamer, kleiner Bub war und nicht gut im Sport.

>   Das Kricketspiel war nichts für mich,
>   Denn Ball und Schläger haßte ich.

Und dann fielen wieder ältere Jungen über mich her und verabreichten mir im Kesselraum eine Tracht Prügel, ehe der Unterricht begann. Der Kesselraum war sehr heiß. Ich hatte damals eine kleine Begabung, gewiß nichts Besonderes, doch eine kleine dichterische Begabung. Ich schrieb Verse, die ich im allgemeinen geheim hielt. So geschah es eines Nachmittags, daß ich sie mitnahm, um sie Ihnen zu zeigen, Mr Bingham. Ich weiß nicht, ob Sie sich an den kleinen Vorfall erinnern, Sir.»

«Nein», sagte Mr Bingham, «ich kann nicht sagen, daß ich mich entsinne.»

«Ich bewunderte Sie, Sir, als einen Mann, der sich sehr für Dichtung begeisterte, vor allem für Tennyson. Deshalb zeigte ich Ihnen meine Gedichte. Ich erinnere mich gut an jenen Nachmittag. Es regnete heftig, und das Zimmer war wirklich so düster, daß Sie einem der Jungen auftrugen, das Licht einzuschalten. Sie sagten: ‹Wollen wir doch etwas Licht auf den Gegenstand werfen, Hughes!› An Hughes kann ich mich ganz deutlich erinnern und wirklich genauso an Ihre Scherze und Witze. Jedenfalls machte Hughes das Licht an; es war ein grauer Tag, nicht im Mai, sondern im Dezember, am Himmel eine Nachglut der untergegangenen Sonne. Sie lasen eines meiner Gedichte. Ich kann mich, wie gesagt, jetzt nicht an das Gedicht erinnern, doch es war reimlos. ‹Nun werde ich euch den Unterschied zeigen zwischen guter und schlechter Dichtung›, sagten Sie und verglichen dabei meine kleine Bemühung mit der Arbeit Tennysons, die größtenteils in Reimen war. Als ich das Zimmer verließ, war ich von einer Horde Jungen umgeben, die vom blauäugigen blonden Colin angeführt wurde. Die Lehre aus dieser Geschichte ist die, daß ich in die Werbebranche ging und somit in die Reimerei. Für mich war das eine Offenbarung.

A revelation straight from God
That I should rhyme as I was taught.
So you can see, sir, that you are responsible for the career in which I have flourished."

"I don't believe it, sir," said Mr Bingham furiously.

"Don't believe what, sir?"

"That that ever happened. I can't remember it."

"It was Mrs Gross my landlady who saw the relevant passage about you in the paper. I must go immediately, I told her. You thought he was a farmer but I knew differently. That man does not know the influence he has had on his scholars. That is why I came," he said simply.

"Tell me, sir," he added, "is your son married now?"

"Colin?"

"The same, sir."

"Yes, he's married. Why do you wish to know?"

"For no reason, sir. Ah, I see a photograph on the mantelpiece. In colour. It is a photograph of the bridegroom and the bride.

How should we not hail the blooming bride
With her good husband at her side?

What is more calculated to stabilize a man than marriage? Alas I never married myself. I think I never had the confidence for such a beautiful institution. May I ask the name of the fortunate lady?"

"Her name is Norah," said Mrs Bingham sharply. "Norah Mason."

"Well, well," said Mr Heine enthusiastically. "Norah, eh? We all remember Norah, don't we? She was a lady of free charm and great beauty. But I must not go on. All those unseemly pranks of childhood which we should consign to the dustbins of the past. Norah Mason, eh?" and he smiled brightly. "I am so happy that your son married Norah."

"Look here," said Mr Bingham, raising his voice.

Eine Offenbarung, von Gott selbst mir zugedacht,
Daß ich reimen sollte, wie man mir's beigebracht.
Sie können daher sehen, Sir, daß Sie für die Laufbahn, in der
ich tätig bin, verantwortlich sind.»

«Das glaube ich nicht, Sir», sagte Mr Bingham wütend.

«Was glauben Sie nicht, Sir?»

«Daß sich das je zugetragen hat. Ich kann mich nicht daran
erinnern.»

«Mrs Gross, meine Zimmerwirtin, hat die einschlägige
Stelle über Sie in der Zeitung gelesen. Ich muß sofort hingehen, sagte ich zu ihr. Sie, Mrs Gross, dachten, er sei ein
Bauer, doch ich wußte es anders. Dieser Mann weiß nicht,
was für einen Einfluß er auf seine Schüler gehabt hat. Deshalb bin ich gekommen», sagte er schlicht.

«Sagen Sie mir, Sir», fügte er hinzu, «ist Ihr Sohn jetzt
verheiratet?»

«Colin?»

«Eben der, Sir.»

«Ja, er ist verheiratet. Warum wollen Sie das wissen?»

«Ach, bloß so, Sir. Oh, ich sehe eine Photographie auf dem
Kaminsims. In Farbe. Es ist ein Foto des Bräutigams und
seiner Braut.

Warum sollten wir nicht grüßen die strahlende Braut
Mit ihrem guten Gatten zur Seite, so lieb und so traut?
Was ist mehr geeignet, einen Mann zu stützen als die Ehe?
Leider habe ich selbst nie geheiratet. Ich glaube, daß ich nie
Zutrauen zu einer so schönen Einrichtung hatte. Darf ich fra-
gen, wie die Glückliche heißt?»

«Sie heißt Norah», sagte Mrs Bingham scharf. «Norah
Mason.»

«Gut, gut», sagte Mr Heine voll Begeisterung. «Norah,
hm? Wir alle erinnern uns an Norah, nicht wahr? Sie war
eine Dame von freiem Reiz und großer Schönheit. Doch ich
darf nicht weitererzählen. All diese unziemlichen Kindheits-
streiche, die wir den Mülleimern der Vergangenheit überant-
worten sollten. Norah Mason, hm?» Er lächelte heiter. «Ich
bin so glücklich, daß Ihr Sohn Norah geheiratet hat.»

«Aber bitte!» sagte Mr Bingham und erhob die Stimme.

"I hope that my felicitations, congratulations, will be in order for them too, I sincerely hope so, sir. Tell me, did your son Colin have a scar on his brow which he received as a result of having been hit on the head by a cricket ball?"

"And what if he had?" said Mr Bingham.

"Merely the sign of recognition, sir, as in the Greek tragedies. My breath in these days came in short pants, sir, and I was near-sighted. I deserved all that I got. And now sir, forgetful of all that, let me say that my real purpose in coming here was to give you a small monetary gift which would come particularly from myself and not from the generality. My salary is a very comfortable one. I thought of something in the region of ... Oh look at the time. It is nearly half-past eleven at night.

At eleven o'clock at night

The shades come out and then they fight.

I was, as I say, thinking of something in the order of ..."

"Get out, sir," said Mr Bingham angrily. "Get out, sir, with your insinuations. I do not wish to hear any more."

"I beg your pardon," said Mr Heine in a wounded voice.

"I said 'Get out, sir.' It is nearly midnight. Get out."

Mr Heine rose to his feet. "If that is the way you feel, sir. I only wished to bring my felicitations."

"We do not want your felicitations," said Mr Bingham. "We have enough of them from others."

"Then I wish you both goodnight and you particularly, Mr Bingham, as you leave the profession you have adorned for so long."

"GET OUT, sir," Mr Bingham shouted, the veins standing out on his forehead.

Mr Heine walked slowly to the door, seemed to wish to stop and say something else, but then

«Ich hoffe, daß meine Glückwünsche, Zeichen freudiger Anteilnahme, auch für sie angebracht sein werden, ich hoffe es aufrichtig, Sir. Sagen Sie mir, hatte Ihr Sohn Colin auf der Stirn eine Narbe, die er sich geholt hat, als er von einem Kricketball am Kopf getroffen wurde?»

«Und was wäre, wenn er eine hätte?» sagte Mr Bingham.

«Nur das Zeichen der Wiedererkennung, Sir, wie in den griechischen Tragödien. Mein Atem ging damals in kurzen Stößen, Sir, und ich war kurzsichtig. Ich verdiente alles, was ich kriegte. Und jetzt, Sir, wollen wir all das vergessen, und lassen Sie mich sagen, daß der wirkliche Zweck meines Besuchs darin bestand, Ihnen ein kleines Geldgeschenk zu geben, das ausdrücklich von mir und nicht von der Allgemeinheit kommen würde. Ich beziehe ein sehr ordentliches Gehalt. Ich dachte so an die Größenordnung ... Oh schauen Sie auf die Uhr! Es ist fast halb zwölf in der Nacht.

Es treten nachts um elf hervor die Schatten
Und stellen sich zum Kampf bis zum Ermatten.

Ich dachte, wie gesagt, an einen Betrag in der Größenordnung von ...»

«Verschwinden Sie, Sir!» sagte Mr Bingham zornig. «Verschwinden Sie, Sir, mit Ihren Unterstellungen. Ich will nichts mehr hören.»

«Verzeihung», sagte Mr Heine mit der Stimme eines tief Gekränkten.

«Ich habe gesagt ‹Verschwinden Sie, Sir!› Es ist fast Mitternacht. Hinaus!»

Mr Heine stand auf. «Na, wenn Sie solche Gefühle hegen, Sir. Ich wollte nur meine Glückwünsche überbringen.»

«Wir wollen Ihre Glückwünsche nicht», sagte Mr Bingham. «Wir haben genug Glückwünsche von anderen.»

«Dann wünsche ich Ihnen beiden gute Nacht und Ihnen besonders, Mr Bingham, da Sie aus dem Beruf ausscheiden, dessen Zierde Sie so lange gewesen sind.»

«Hinaus, Sir!» brüllte Mr Bingham, während ihm die Adern aus der Stirn traten.

Mr Heine ging langsam zur Tür, schien stehenbleiben und noch etwas sagen zu wollen, überlegte es sich dann aber

changed his mind and the two left in the room heard the door being shut.

"I think we should both go to bed, dear," said Mr Bingham, panting heavily.

"Of course, dear," said his wife. She locked the door and said, "Will you put the lights out or shall I?"

"You may put them out, dear," said Mr Bingham. When the lights had been switched off they stood for a while in the darkness, listening to the little noises of the night from which Mr Heine had so abruptly and outrageously come.

"I can't remember him. I don't believe he was in the school at all," said Mrs Bingham decisively.

"You are right, dear," said Mr Bingham, who could make out the outline of his wife in the half-darkness. "You are quite right, dear."

"I have a good memory and I should know," said Mrs Bingham as they lay side by side in the bed. Mr Bingham heard the cry of the owl, throatily soft, and turned over and was soon fast asleep. His wife listened to his snoring, staring sightlessly at the objects and furniture of the bedroom which she had gathered with such persistence and passion over the years.

anders, und die beiden im Zimmer Verbliebenen hörten, wie die Tür geschlossen wurde.

«Ich denke, wir sollten zu Bett gehen, meine Liebe», sagte Mr Bingham und schnaufte schwer.

«Natürlich, mein Lieber», sagte seine Frau. Sie sperrte die Haustür ab und sagte: «Willst du die Lampen ausmachen oder soll ich's tun?»

«Du kannst sie ausmachen, meine Liebe», sagte Mr Bingham. Als die Lampen ausgeschaltet waren, standen die beiden eine Weile im Dunkeln und lauschten auf die kleinen Geräusche der Nacht, aus der Mr Heine so unvermittelt und unverschämt gekommen war.

«Ich kann mich nicht an ihn erinnern. Ich glaube, daß er gar nicht an der Schule war», sagte Mrs Bingham bestimmt.

«Du hast recht, meine Liebe», sagte Mr Bingham, der die Umrisse seiner Frau im Halbdunkel erkennen konnte. «Du hast ganz recht, meine Liebe.»

«Ich habe ein gutes Gedächtnis und sollte es wissen», sagte Mrs Bingham, als sie nebeneinander im Bett lagen. Mr Bingham hörte den Schrei der Eule, einen weichen Kehllaut, drehte sich um und lag bald in tiefem Schlaf. Seine Frau hörte sich sein Schnarchen an und starrte blind auf die Gegenstände und Möbelstücke des Schlafzimmers, die sie über die Jahre hinweg mit solcher Beharrlichkeit und Leidenschaft gesammelt hatte.

If there is one thing in the world that annoys me more than another, it is to be told that the English are an unmusical people.

I was dining with Reginald Biffin at the Grillroom Club, a few years ago, when he happened to express a somewhat unfavourable opinion of the music-loving qualities of my fellow-countrymen. That very afternoon, he said, he had attended a concert at which an admirable Russian tenor had sung no less than forty-eight songs by Brahms.

The audience had consisted of only twenty-six persons. Seven of these were hospital nurses and had therefore in all probability not paid for their seats. He described the gathering as typically representative.

"Nonsense!" I protested indignantly. "You don't know what you're talking about. Give the British public the goods," I continued, "and you'll be surprised to see how they'll clamour for more!"

"I'll be surprised all right," he answered.

"Take Gilbert and Sullivan——" I began.

"Oh, Sullivan——" he interrupted scornfully.

"I know exactly what you're going to say," I told him. "You're going to say that Sullivan and Wagner are the two composers who appeal especially to the tone-deaf, to the unmusical."

"And to the musical, too," he protested.

"Of course. But that's not the point."

"Then what is the point?" he asked.

"I don't know now," I said. "You will interrupt so; I've forgotten where I was."

"You were trying to pretend that the British public is fond of music."

"Good music, yes."

"They somehow manage to survive fairly comfortably without it," he suggested. "You don't find

Harry Graham: Biffin am Fagott

Wenn es etwas auf der Welt gibt, was mich mehr als alles andere ärgert, so ist es das Gerede, die Engländer seien ein unmusikalisches Volk.

Vor einigen Jahren speiste ich mit Reginald Biffin im Grillroom Club, als er beiläufig eine etwas abschätzige Meinung über die musikliebenden Eigenschaften meiner Landsleute äußerte. An eben diesem Nachmittag, sagte er, habe er ein Konzert besucht, in dem ein bewunderungswürdiger russischer Tenor nicht weniger als achtundvierzig Lieder von Brahms gesungen habe. Die Zuhörerschaft habe nur aus sechsundzwanzig Personen bestanden. Sieben davon seien Krankenschwestern gewesen und hätten daher für ihre Plätze höchstwahrscheinlich nicht bezahlt. Er beschrieb die Versammelten als einen bezeichnenden Querschnitt der Gesellschaft.

«Unsinn!» widersprach ich empört. «Sie wissen nicht, wovon Sie reden. Geben Sie den britischen Zuhörern das Bewährte», fuhr ich fort, «und Sie werden mit Überraschung erleben, wie sie nach mehr verlangen!»

«Ich werde ganz gewiß überrascht sein», antwortete er.

«Nehmen Sie Gilbert und Sullivan ...» begann ich.

«Oh, Sullivan ...» unterbrach er verächtlich.

«Ich weiß genau, was Sie nun vorbringen werden», sagte ich. «Sie werden behaupten, Sullivan und Wagner seien die zwei Komponisten, die vor allem die Leute ohne musikalisches Gehör ansprechen, die Unmusikalischen.»

«Und die Musikalischen auch», wandte er ein.

«Natürlich. Doch das ist nicht das Entscheidende.»

«Was ist dann das Entscheidende?» fragte er.

«Das weiß ich jetzt nicht», sagte ich. «Sie unterbrechen mich ständig so; ich habe vergessen, wo ich war.»

«Sie versuchten, so zu tun, als ob die Briten die Musik liebten.»

«*Gute* Musik, ja.»

«Irgendwie kriegen sie es fertig, ziemlich bequem ohne sie zu überleben», meinte er. «Man hört nicht, daß sie lauthals

them clamouring very loudly for National Opera, for a State Orchestra, for——"

"All the old arguments!" I groaned. "My dear chap, there are more amateur choral and orchestral societies in England today than——"

It was Biffin's turn to interrupt.

"I was referring to *good* music," he said. "I know, of course, that in the summer months our public parks are enriched by the presence of Council Bands playing the overture to 'Poet and Peasant' or 'Zampa'. I am aware that no seaside esplanade is considered complete without a bandstand on which the Borough Orchestra's performance of Tchaikovsky's '1812' drowns the roaring of the elements. I know——"

"You keep on saying that you *know*," I chipped in, "but as a matter of fact, where music is concerned you know nothing."

"I know nothing!" he repeated scornfully. "That's very funny! Ha! Ha!" He gave a mirthless laugh.

"Well, what do you know?" I said.

"It would take me too long to tell you," he replied. "But perhaps it may alter your views a bit to hear a rather remarkable story which deals with my musical experiences. Would you care to listen to it?"

"Whether I care to listen or no is a matter of minor importance," I said. "You're my host, you're paying for the dinner, and you're obviously determined that I shall. So I suppose I shall have to."

"Charles," he called to a passing waiter, "bring some more coffee."

"That's right," I said. "We must keep awake at all costs. Now then," I added, when our wants had been supplied, "fire away! And let's get your rather remarkable story over before I think of a better one."

You must know then (he began) that from the earliest youth I have always been particularly musical.

nach einer Nationaloper rufen, nach einem Staatsorchester, nach ...»

«All die alten Argumente!» stöhnte ich. «Mein lieber Freund, es gibt heute in England mehr Laienchöre und Orchestergesellschaften als ...»

Nun war Biffin an der Reihe, mich zu unterbrechen.

«Ich habe an *gute* Musik gedacht», sagte er. «Selbstverständlich weiß ich, daß in den Sommermonaten unsere öffentlichen Parkanlagen durch die Anwesenheit städtischer Kapellen bereichert werden, welche die Ouvertüre zu ‹Dichter und Bauer› oder ‹Zampa› spielen. Ich bin mir bewußt, daß eine Strandpromenade nicht als vollständig gilt ohne einen Musikpavillon, in dem die Aufführung von Tschaikowskijs ‹1812› durch das städtische Orchester das Toben der Elemente überdröhnt. Ich weiß ...»

«Sie reden ständig davon, daß Sie *wissen*», fuhr ich dazwischen, «aber tatsächlich wissen Sie, wo es um Musik geht, nichts.»

«Ich weiß nichts!» wiederholte er höhnisch. «Das ist sehr ulkig! Ha! Ha!» Er lachte freudlos.

«Na, was wissen Sie denn *wirklich*?» sagte ich.

«Es ist zuviel zum Erzählen», erwiderte er. «Doch vielleicht ändert es Ihre Ansichten ein bißchen, wenn Sie eine merkwürdige Geschichte vernehmen, die von meinen musikalischen Erfahrungen handelt. Mögen Sie sie hören?»

«Ob ich sie hören mag oder nicht, ist nicht so wichtig», sagte ich. «Sie sind mein Gastgeber, Sie bezahlen das Essen, und Sie sind offenbar entschlossen, daß ich sie mir anhören soll. Daher werde ich sie mir wohl anhören müssen.»

«Charles», rief er einem vorbeieilenden Kellner zu, «bringen Sie noch Kaffee!»

«Also gut», sagte ich. «Wir müssen unbedingt wach bleiben. Na, dann», fügte ich hinzu, als wir das Bestellte bekommen hatten, «schießen Sie los! Bringen wir Ihre merkwürdige Geschichte hinter uns, ehe mir eine bessere einfällt.»

Sie müssen also wissen (begann er), daß ich seit frühester Jugend besonders musikalisch bin. Im Alter von drei Jahren

At the age of three I could play the treble part of "Chopsticks" with considerable accuracy. At six my rendering of "The Merry Peasant" suggested that as an infant prodigy I might take my place on any concert platform without fear of serious competition.

I'm not boasting when I say that as a child I was deservedly recognized as being a bit of a genius. Musical talent is hereditary in our family. It's in the blood. My ancestors were all more or less music addicts. Why, I remember a picture we had in the dining-room at home of my grandmother playing the harp. Not a very good picture artistically, but of considerable interest from a psychological point of view. She had very beautiful arms, had my grandmother, and in those days young women didn't get the chances they now enjoy of displaying their attractions. The harp was a perfect godsend to girls with pretty wrists. I'm wandering from the point, I know, but what I mean to suggest is that if you could have seen my grandmother, as she was in that picture, plucking the strings with long white fingers, her left foot on the clutch (so to speak) and her right on the accelerator, working the gears for all she was worth, you'd realize at once where I got my talent from. But of course you never will see her now, because if she were alive today she'd be a hundred and twenty-five and her interest in the harp would probably have waned.

My father was musical, too. He had a remarkable voice, quite untrained of course, but very powerful. I used to hear him singing in his bath every morning and the regular splashing of his sponge showed how admirable was his sense of rhythm.

The bathroom at home was renowned for the excellence of its acoustic properties. Sometimes when my father was giving a particularly lifelike performance of "The Death of Nelson" the whole

konnte ich mit zwei Fingern auf der rechten Hälfte der Klaviatur ein einfache Melodie mit beträchtlicher Genauigkeit spielen. Mit sechs legte meine Wiedergabe des «Fröhlichen Landmanns» die Vermutung nahe, daß ich als Wunderkind meinen Platz auf jeder Konzertbühne einnehmen könnte, ohne Angst vor ernsthafter Konkurrenz haben zu müssen.

Ich schneide nicht auf, wenn ich sage, daß ich als Kind verdientermaßen ein bißchen als Genie angesehen wurde. Musikalische Begabung ist in unserer Familie erblich. Sie steckt im Blut. Meine Vorfahren waren alle mehr oder weniger musiksüchtig. Nun, ich erinnere mich an ein Bild meiner Harfe spielenden Großmutter, das wir daheim im Eßzimmer hatten. Künstlerisch kein sehr gutes Bild, doch vom psychologischen Standpunkt aus recht bemerkenswert. Sie hatte sehr schöne Arme, meine Großmutter, und in jener Zeit bekamen junge Frauen nicht die Gelegenheiten, deren sie sich heute erfreuen, wenn sie ihre Reize zeigen wollen. Die Harfe war ein vortreffliches Gottesgeschenk für Mädchen mit hübschen Handgelenken. Ich schweife ja nun vom wesentlichen ab, doch worauf ich hinweisen will, ist dies: Hätten Sie meine Großmutter sehen können, wie sie auf diesem Bild war, wie sie mit langen weißen Fingern die Saiten zupfte, wie sie den linken Fuß auf der Kupplung (sozusagen) und den rechten auf dem Gaspedal, mit den Gängen nach besten Kräften arbeitete, dann würden sie sofort erkennen, woher ich meine Begabung bekam. Aber natürlich werden Sie sie nimmermehr sehen, denn wenn sie heute am Leben wäre, würde sie hundertfünfundzwanzig Jahre alt sein, und ihr Interesse an der Harfe wäre wahrscheinlich geschwunden.

Auch mein Vater war musikalisch. Er hatte eine auffallende Stimme, ganz ungeschult natürlich, doch sehr tragend. Ich hörte ihn gewöhnlich jeden Morgen im Bad singen, und das regelmäßige Platschen seines Schwamms zeigte, wie bewundernswert sein Gefühl für Rhythmus war.

Das Bad daheim war bekannt für seine vorzüglichen akustischen Eigenschaften. Manchmal, wenn mein Vater eine besonders lebensnahe Darstellung von «Nelsons Tod» lieferte, pflegte das ganze Haus unter dem stimmlichen Nachhall

house would shake with his vocal reverberations. The servants would come rushing upstairs with slop-pails, thinking that he was drowning himself or something. As a matter of fact, of course, he never was, and they would return to the basement, relieved, if perhaps slightly resentful.

My dear mother was not a singer, though she was very fond of humming to herself as she went about her household duties. "I don't know anything about music," she would say, "but I know what I like", and that summed up her whole attitude towards this particular branch of art.

She and my father started a sort of amateur glee-party, composed chiefly of the family, which met in the billiard-room once a week and practised part-songs. My two elder sisters sang soprano, and in those days I had a fine treble voice, verging on falsetto. It was always difficult to find a suitable tenor, my Uncle William (who tried to fill the part) labouring under the disability of never having learnt to read music. He sang exclusively by ear, but made up in enthusiasm for what he lacked of technical skill, often with very original results. Two male cousins sang bass more loudly than bass has ever probably been sung before, while a faint bee-like droning that issued from a corner by the window suggested that my mother was taking the alto part, and from the wild cries that rose from the sofa by the fire-place we knew that the soprani were putting up a good fight against almost overwhelming odds.

We lived in Hampstead then, and at Christmas-time would often don black masks and go round to the various houses in the neighbourhood, singing carols and collecting money for charities. I must confess that this practice did not commend itself to all the local habitants. I remember the Cohens, next door, showing considerable annoyance at being aroused from sleep at 2a.m. by the sounds of 'Chris-

zu zittern. Die Diener kamen dann mit Spüleimern treppauf gerannt, weil sie glaubten, er sei am Ertrinken oder sonstwas. Das war natürlich in Wirklichkeit nie der Fall, und sie pflegten ins Kellergeschoß zurückzukehren, erleichtert, wenn auch vielleicht etwas verstimmt.

Meine liebe Mutter konnte nicht singen, obschon sie sehr gern vor sich hin summte, während sie ihren Pflichten im Haushalt nachging. «Ich verstehe von Musik gar nichts», sagte sie gewöhnlich, «aber ich weiß, was ich hören mag», und das faßte ihre ganze Haltung gegenüber diesem besonderen Zweig der Kunst zusammen.

Sie und mein Vater machten eine Art von Laiengesangverein auf, der sich hauptsächlich aus der Familie zusammensetzte, die sich einmal in der Woche im Billardzimmer traf und mehrstimmige Lieder einübte. Meine beiden älteren Schwestern sangen Sopran, und ich hatte damals eine schöne Diskantstimme, die beinahe in die Fistelstimme überging. Es war immer schwierig, einen passenden Tenor zu finden, da mein Onkel William (der auszuhelfen versuchte), mit dem Manko kämpfte, daß er nie gelernt hatte, Noten zu lesen. Er sang ausschließlich nach Gehör, machte aber, was ihm an technischem Geschick abging, durch Begeisterung wett, häufig mit recht neuartigen Ergebnissen. Zwei Vettern sangen Bass – lauter, als Bass vermutlich je gesungen worden ist –, während ein schwaches bienenartiges Summen, das aus einer Ecke neben dem Fenster kam, darauf hinwies, daß meine Mutter die Altstimme übernahm, und an den wilden Schreien, die vom Sofa neben dem Kamin aufstiegen, erkannten wir, daß die Sopranstimmen tapfer gegen fast überwältigende Übermacht kämpften.

Wir wohnten damals in Hampstead. Zur Weihnachtszeit pflegten wir oft schwarze Masken anzulegen, die verschiedenen Häuser der Nachbarschaft rundum aufzusuchen, um Weihnachtslieder zu singen und Geld für wohltätige Zwecke zu sammeln. Ich muß gestehen, daß dieser Brauch sich nicht bei allen Einwohnern des Ortes empfahl. Ich erinnere mich an die Cohens von nebenan, die beträchtliche Verärgerung zeigten, wenn sie um zwei Uhr früh durch die Klänge von

tians, Awake'! Again, when we sang 'Noël! Noël!' further up the street, an old gentleman named Joël came rushing out in his nightshirt under the impression that he was being summoned.

Anyhow, I've told you enough to show that we were a decidedly musical family, and you'll understand how it was that when I went to a public school I found it difficult to keep my talents as dark as I should have wished. At school, naturally, a boy is very apt to be kicked if he displays signs of playing the piano better than he plays football, and I did my best to hide my guilty secret from the other boys.

One morning, however, when I had brought my fag-master some buttered eggs that I had inadvertently dropped in the passage on the way – they were otherwise all right, and to outward appearance at any rate seemed quite normal – "Hey, young feller," he said, giving me a playful kick on the shin, which from a youth of his eminence might be regarded as a mark of especial favour, "did I hear you playing the flute the other day?"

"No." I was able quite truthfully to deny any connection with that instrument. "It was only the penny whistle," I explained.

"The School Orchestra's short of players," he went on. "And I've promised old Posner" – Dr Rollo Posner was our music-master – "to try and chevy up a few recruits. You cut along to the Drill Hall at six o'clock tonight and report to Sergeant Basley, see?"

As I turned to go he gave me another flattering buffet. "Next time I have buttered eggs," he said, disentangling a few short carpet hairs from the dish, "remember, I prefer them *bald*!"

That evening, as instructed, I reported myself at the Drill Hall, where I found old Dr Posner and Sergeant Basley, his second-in-command, inspecting an

«Christen, erwacht!» aus dem Schlaf gerissen wurden. Und wiederum, wenn wir weiter straßaufwärts «Noël! Noël!» sangen, kam ein alter Herr namens Joël im Nachthemd herausgestürmt, weil er meinte, er werde gerufen.

Jedenfalls habe ich Ihnen genug erzählt, um zu zeigen, daß wir eine ausgesprochen musikalische Familie waren, und Sie werden verstehen, wie es war, als ich eine Privatschule besuchte und es schwierig fand, meine Begabungen so verborgen zu halten, wie ich es mir gewünscht hätte. In der Schule wird ein Junge natürlich gern herumgeschubst, wenn er erkennen läßt, daß er besser Klavier als Fußball spielt, und ich tat mein bestes, um mein strafbares Geheimnis vor den anderen Jungen zu verschleiern.

Eines Morgens jedoch, als ich dem Schüler, dem ich als «Fuchs» diente, einige mit Butter angerichtete Eier gebracht und aus Unachtsamkeit unterwegs im Flur hatte fallen lassen – sie waren sonst in Ordnung und schienen nach außen hin jedenfalls ganz normal zu sein – sagte er «Hallo, junger Bursche» und gab mir dabei einen scherzhaften Tritt ans Schienbein, der bei einem jungen Mann von seiner herausragenden Stellung als Zeichen besonderer Gunst angesehen werden konnte. «Habe ich dich neulich Flöte spielen hören?»

«Nein.» Ich konnte ganz wahrheitsgemäß jegliche Verbindung mit diesem Instrument in Abrede stellen. «Es war nur die Spielzeugpfeife», erklärte ich.

«Dem Schulorchester fehlen Musiker», fuhr er fort. «Und ich habe dem alten Posner» – Dr. Rollo Posner war unser Musiklehrer – «versprochen, daß ich versuche, ein paar Neue aufzustöbern. Du flitzt heute abend um sechs Uhr zur Exerzierhalle und meldest dich bei Sergeant Basley, ja?»

Als ich gehen wollte, gab er mir wieder einen schmeichelhaften Puff. «Wenn ich das nächste Mal Eier mit Butter bekomme», sagte er und angelte dabei etliche kurze Teppichhaare aus dem Gericht heraus, «dann denk daran, daß sie mir *kahl* lieber sind!»

An jenem Abend meldete ich mich, wie beauftragt, in der Exerzierhalle, wo ich den alten Dr. Posner und Sergeant Basley, seinen Stellvertreter, antraf, die eine verlegene Grup-

embarrassed group of small boys who, like myself, had been selected to swell the ranks of the Orchestral Society.

"Well, my boy," said Dr Posner, when it became my turn to be examined, "how would you like to join the orchestra, eh?"

I replied that I thought perhaps it wouldn't be so jolly rotten.

"Ever played any instrument?" he asked.

"No, sir. Only the penny whistle."

"Ah, indeed. The penny whistle. And were you an accomplished performer upon that peculiar——"

"Oh no, sir," I protested. "I could manage 'For He's a Jolly Good Fellow', and a bit of the 'Dead March'."

"A varied if not extensive repertory!"

He turned to Sergeant Basley.

"What do *you* think, Basley?"

"His mouth's not the right shape," said the Sergeant, shaking his head gloomily.

"For the clarinet, no," said Dr Posner, "but what about the bassoon?"

"No harm in trying, sir."

"There doesn't seem to be anybody else."

"That's right, sir."

The music-master turned to me.

"Would you care to learn the bassoon?" he enquired.

"I'd rather play the drum, sir."

"Nonsense!" He laughed good-naturedly. "Besides, there's a waiting list for the drum a mile long already. No. It's bassoon or nothing. That's settled then. Good evening. See you tomorrow at rehearsal."

Thus it came about that, under the supervision of Dr Posner and the personal tuition of Sergeant Basley, I learnt to play that most curious and much-maligned instrument, the bassoon, and in due

pe kleiner Jungen prüften, die, wie ich selbst, ausgewählt worden waren, um die Reihen der Orchestergesellschaft zu verstärken.

«Na, mein Junge», sagte Dr. Posner. als ich an die Reihe kam, geprüft zu werden, «wie würdest du es denn finden, dem Orchester beizutreten, hm?»

Ich erwiderte, daß ich dachte, es sei vielleicht gar nicht so übel.

«Jemals ein Instrument gespielt?» fragte er.

«Nein, Sir. Nur die Spielzeugpfeife.»

«Oh, tatsächlich. Die Spielzeugpfeife. Und warst du ein vorzüglicher Spieler auf diesem eigenartigen ...»

«Ach nein, Sir», wandte ich ein. «Ich konnte ‹For he's a jolly good fellow› und ein bißchen vom ‹Totenmarsch› zuwegebringen.»

«Eine gemischte, wenn auch nicht sehr umfangreiche Auswahl.»

Er wandte sich an Sergeant Basley.

«Was meinen *Sie,* Basley?»

«Sein Mund hat nicht die richtige Form», sagte der Sergeant und schüttelte düster den Kopf.

«Für die Klarinette, nein», sagte Dr. Posner, «doch wie wär's mit dem Fagott?»

«Kann nicht schaden, es zu versuchen, Sir.»

«Es scheint sonst niemand da zu sein.»

«Das ist richtig, Sir.»

Der Musiklehrer wandte sich an mich.

«Hättest du Lust, Fagott zu lernen?» erkundigte er sich.

«Ich würde lieber die Trommel spielen, Sir.»

«Unsinn!» Er lachte gutherzig. «Außerdem gibt es für die Trommel eine Warteliste, die schon eine Meile lang ist. Nein. Entweder Fagott oder gar nichts. Das ist dann also eine abgemachte Sache. Guten Abend. Ich sehe dich morgen bei der Probe.»

So kam es, daß ich unter der Oberaufsicht von Dr. Posner und der persönlichen Anleitung durch Sergeant Basley lernte, dieses höchst sonderbare und viel geschmähte Instrument, das Fagott, zu spielen, und zur passenden Zeit nahm ich

course took my place without discredit in the school orchestra.

Sergeant Basley was in some ways a man of mystery. The title of sergeant was his only by courtesy; as his long hair and round shoulders betokened, he had never seen military service. But he was a gallant little man and an exceptionally talented musician. There was practically no instrument that he could not master, and it was due to his untiring efforts that the orchestra was able to perform with considerable success at the end-of-term concerts to which the boys' parents looked forward with so much anxiety.

As Sergeant Basley explained it to me, the bassoon is not an instrument that any person would be likely to adopt wantonly, inadvisedly or indeed of his own free will. Bassoon playing is, in fact, as much an hereditary profession as is that of the miner, the undertaker, or the chimney-sweep. Bassoons are regarded as heirlooms, and handed down from father to son in the various families that have specialized for generations in this particular form of musical expression. Basley was, so he assured me, a bassoonist by birth rather than by adoption. His grandfather had played the bassoon in a famous military band in the early eighties. Tales of his father's prowess on this instrument were still being circulated at the Musician's Club when King George came to the throne. He himself was destined to attain a very high reputation in the woodwind world. Indeed, his aid was anxiously solicited whenever any piece was to be performed necessitating solo work from that instrument which is still somewhat unjustly regarded as the buffoon of the orchestra.

It is doubtless true to say of the bassoon that one of its chief characteristics is the ability it possesses to provide comic relief. Sir Arthur Sullivan used it to good effect for this purpose, and even the mod-

meinen Platz im Schulorchester ein, ohne ihm Schande zu machen.

Sergeant Basley war in mancher Hinsicht ein geheimnisvoller Mann. Den Titel «Sergeant» trug er nur ehrenhalber; wie sein langes Haar und seine runden Schultern anzeigten, hatte er nie Militärdienst geleistet. Aber er war ein prächtiger kleiner Mann und ein ungewöhnlich begabter Musiker. Es gab eigentlich kein Instrument, das er nicht spielen konnte, und dank seinen nicht erlahmenden Bemühungen konnte das Orchester mit beträchtlichem Erfolg bei den Schulabschlußkonzerten auftreten, denen die Eltern der Schüler mit so viel Beklemmung entgegensahen.

Wie Sergeant Basley es mir erklärte, ist das Fagott kein Instrument, für das jemand sich wahrscheinlich leichtfertig, versehentlich oder gar aus eigenem freien Willen entscheidet. Fagott zu spielen ist in der Tat ebenso sehr ein erblicher Beruf wie der des Bergmanns, des Leichenbestatters oder des Kaminkehrers. Fagotte werden als Erbstücke betrachtet und in den verschiedenen Familien, die sich seit Generationen auf diese besondere Form musikalischen Ausdrucks verlegt haben, vom Vater auf den Sohn weitergegeben. Basley war, so versicherte er mir, eher ein geborener Fagottist als einer aus eigener Wahl. Sein Großvater hatte in den frühen achtziger Jahren das Fagott in einer berühmten Militärkapelle gespielt. Erzählungen von der überragenden Meisterschaft seines Vaters auf diesem Instrument waren im Musikerklub noch im Umlauf, als König Georg den Thron bestieg. Er selbst sollte sehr hohes Ansehen in der Welt der Holzbläser erlangen. Seine Hilfe wurde in der Tat stets dringend erbeten, wenn ein Stück aufgeführt werden sollte, das Soloarbeit von diesem Instrument verlangte, welches noch immer etwas zu Unrecht als der Spaßmacher des Orchesters angesehen wird.

Mit Recht sagt man vom Fagott, daß eines seiner Hauptmerkmale die Fähigkeit ist, Entspannung durch Komik zu bewirken. Sir Arthur Sullivan setzte es zu diesem Zweck wirkungsvoll ein, und selbst der moderne Komödiant im

ern music-hall comedian can still rely upon it to supply him with a certain laugh when all other methods fail. This is perhaps one of the reasons why bassoonists wear an expression of habitually furtive bonhomie, and are privileged to appear in public in black evening ties on occasions when their colleagues are forced to wear white ones.

Under the admirable instruction of Sergeant Basley, I gradually acquired a certain proficiency as a bassoonist. The sounds that I emitted became daily less painfully goatlike, and a glorious hour arrived when I was given no less than sixteen solo bars in a symphony entitled "Harvesting Time", composed by the great Dr Posner himself, which was performed at the school concert with marked success.

"Harvesting Time" was in many respects a peculiar work. One movenment, I remember, was devoted entirely to a portrayal of farmyard life, where the introduction of what was known as the "cow" motif on the bassoon was among the happier touches. Later on in the symphony my instrument was called upon to provide a suggestion of bees among the lime trees which was no less felicitous, and in the final Allegro movement I did some fine contrapuntal work round an old theme that Dr Posner had stolen bodily from a traditional Nordic folk-song of the sixteenth century.

During rehearsal for the school concert, I became so enthusiastic a player that in the summer holidays I persuaded my father to make me a present of a secondhand bassoon that I had noticed languishing in the window of a musical instrument shop in Wardour Street. My interest, alas, evaporated after I left school; the bassoon was relegated to a boxroom cupboard, and I might never have given it another thought had I not happened to run up against my old friend Sergeant Basley not long ago in Oxford Street.

Varieté kann sich noch darauf verlassen, daß es ihm einen sicheren Lacher einbringt, wenn alle anderen Mittel versagen. Das ist vielleicht einer der Gründe, weshalb Fagottisten einen Ausdruck heimlicher, zur Gewohnheit gewordener Gutmütigkeit an den Tag legen, und weshalb sie das Vorrecht haben, mit schwarzer Schleife zum Frack aufzutreten, während ihre Kollegen gezwungen sind, eine weiße zu tragen.

Unter der vortrefflichen Anleitung durch Sergeant Basley erwarb ich mir allmählich eine gewisse Fertigkeit als Fagottspieler. Die Töne, die ich herausbrachte, waren von Tag zu Tag weniger quälend ziegenartig, und es kam eine wunderbare Stunde, als ich nicht weniger als sechzehn Solotakte in einer Sinfonie mit dem Titel «Erntezeit» erhielt. Diese vom großen Dr. Posner selbst komponierte Sinfonie wurde beim Schulkonzert mit außerordentlichem Erfolg aufgeführt.

«Erntezeit» war in vielerlei Hinsicht ein eigenartiges Werk. Ein Satz, entsinne ich mich, war ganz einer Schilderung des Lebens auf einem Bauernhof gewidmet, wo die Einführung dessen, was man das «Kuh»-Motiv beim Fagott nannte, zu den trefflicheren Merkmalen zählte. Später in der Sinfonie wurde mein Instrument aufgerufen, um eine nicht weniger glücklich gewählte Andeutung von Bienen in den Lindenbäumen hervorzurufen, und im abschließenden Allegro-Satz behandelte ich eine schöne kontrapunktische Aufgabe rund um eine alte Melodie, die Dr. Posner als Ganzes aus einem mündlich überlieferten nordischen Volkslied des sechzehnten Jahrhunderts gestohlen hatte.

Während der Proben für das Schulkonzert wurde ich ein so begeisterter Spieler, daß ich meinen Vater in den Sommerferien überredete, mir ein gebrauchtes Fagott zu schenken, das ich im Schaufenster eines Musikinstrumentenladens in der Wardour Street hatte dahindämmern sehen. Leider erlosch meine Begeisterung für das Instrument, nachdem ich die Schule verlassen hatte; das Fagott wurde in einen Schrank in der Rumpelkammer verbannt, und vielleicht hätte ich nie mehr an das Instrument gedacht, wäre ich nicht zufällig vor gar nicht langer Zeit meinem alten Freund Sergeant Basley in der Oxford Street in die Arme gelaufen.

I recognized him at once, for he had changed but little in twenty years, and was carrying a familiar black shiny instrument-case in which I knew his beloved bassoon to be reposing. He was hurrying along towards Langham Place, when I stopped him.

"You don't remember me, Sergeant Basley," I said. "And yet wasn't I your favourite pupil?"

"Well, well, well!" he exclaimed, searching feverishly in his memory. A sudden gleam of recognition lit his eye.

"Fancy meeting you!" he said. "This *is* a surprise."

"It's a small world!"

"That's right!"

"Where are you rushing off to like this?" I asked.

"Rehearsal," he replied. "The Philmelodic's giving its last concert on Tuesday. You've probably read about it in the papers. Perhaps you're coming to it?"

"I wish I was. What are you giving? Not 'Harvesting Time', I hope."

"No," he laughed. "All the same it's a big 'do', I can tell you. We're playing the new symphony by Heinzmacher."

"Something terribly modern, eh?"

"For the first time in England. The composer's come over from Dresden on purpose to conduct."

"No chance of *my* getting in, I suppose?"

"Funny you should say that," he replied. "By a bit of luck I happen to have a couple of complimentary seats in my pocket. I was thinking of giving them to my old mother, but I'd sooner you had them."

"No, no. Her need is greater than mine, I'm sure."

"Not a bit of it," said Basley. "She's stone deaf, to begin with, and hates music. She only comes because she likes to see me play."

"Are you sure you can spare them?"

"That's right."

Ich erkannte ihn sofort, denn er hatte sich in zwanzig Jahren nur wenig verändert und trug gerade einen vertrauten, schwarzen, glänzenden Instrumentenkasten, in dem, wie ich wußte, sein geliebtes Fagott ruhte. Er eilte in Richtung Langham Place, als ich ihn anhielt.

«Sie erinnern sich nicht an mich, Sergeant Basley», sagte ich. «Und doch: war ich nicht Ihr Lieblingsschüler?»

«Na, na, na!» rief er und forschte fieberhaft in seinem Gedächtnis. Ein plötzlicher Schimmer des Wiedererkennens leuchtete in seinem Blick auf.

«Nanu? Sie hier!» sagte er. «Das ist wirklich eine Überraschung.»

«Die Welt ist klein.»

«Stimmt!»

«Wohin rennen Sie denn so?» fragte ich.

«Probe», erwiderte er. «Die Philmelodischen geben am Dienstag ihr letztes Konzert. Sie haben wahrscheinlich davon in der Presse gelesen. Kommen Sie womöglich?»

«Ich wollte, ich könnte. Was spielen Sie denn? Doch nicht die ‹Erntezeit›, hoffe ich.»

«Nein», lachte er. «Trotzdem ist's eine große Sache, das kann ich Ihnen sagen. Wir spielen die neue Sinfonie von Heinzmacher.»

«Etwas schrecklich Modernes, was?»

«Erstmals in England. Der Komponist ist eigens aus Dresden herübergekommen, um sie zu dirigieren.»

«Es gibt wohl keine Aussicht, daß *ich* hineinkomme?»

«Witzig, daß Sie das sagen», erwiderte er. «Durch ein bißchen Glück habe ich zufällig ein paar Freikarten in der Tasche. Ich wollte sie schon meiner alten Mutter geben, doch ich würde sie lieber Ihnen überlassen.»

«Nein, nein. Sie braucht sie eher als ich, dessen bin ich mir sicher.»

«Überhaupt nicht», sagte Basley. «Ich muß vorausschicken, daß sie stocktaub ist und außerdem keine Musik mag. Sie kommt nur, weil sie mich gern spielen sieht.»

«Wissen Sie sicher, daß Sie die Karten erübrigen können?»

«So ist es.»

He produced an envelope from his pocket.

"Here you are," he said. "Not the best places, I'm afraid. At the side of the orchestra, just behind the double-basses. But you'll get a fine view of Herr Heinzmacher himself."

"If you insist," I said, grasping the tickets firmly before he should change his mind. "I'm frightfully obliged. Eight o'clock, I suppose? At the King's Hall."

"That's right."

"Thanks awfully. But I mustn't keep you from rehearsal."

"That's right. Old Heinzmacher's got a devil of a temper. Goodbye. See you Tuesday!"

He turned and scuttled off down the street.

I was naturally delighted at getting two free seats for a concert which, as I had read in the papers, was likely to prove one of the outstanding events of the London musical season. I cast about in my mind for a suitable companion with whom to share my good fortune, and it did not take me long to come to a decision.

Prominent in my thoughts for some time had been a girl – you probably know her – Florrie Hamlett by name, daughter of Admiral Hamlett – her mother was a Wynge, rather a formidable old trout, but Florrie couldn't help that. She and I – and by she I mean Florrie, of course, not the old trout of a mother – had been seeing a good deal of each other lately, though not nearly so much as I could have wished. I confess that I found her society strangely congenial, and she didn't seem to object very strongly to mine. You see, we were particularly well suited to one another. I mean, she was different from ordinary girls – frightfully good-looking, with a lovely figure and very fair hair, and yet what you might call serious-minded, almost a highbrow in fact. That is to say she occasionally read books, and

Er zog einen Umschlag aus der Tasche.

«Hier», sagte er. «Nicht die besten Plätze, leider. Auf der Orchesterseite, gleich hinter den Kontrabässen. Doch Sie werden Herrn Heinzmacher selber sehr gut im Blickfeld haben.»

«Wenn Sie darauf bestehen», sagte ich und packte schnell die Karten, ehe er sich's vielleicht anders überlegen sollte. «Ich bin Ihnen schrecklich verbunden. Um acht Uhr, nehme ich an? In der King's Hall.»

«Richtig.»

«Recht vielen Dank! Doch ich darf Sie nicht von der Probe abhalten.»

«Allerdings. Der alte Heinzmacher kann fuchsteufelswild werden. Ade! Ich werde Sie am Dienstag sehen.»

Er drehte sich um und flitzte die Straße entlang davon.

Natürlich war ich entzückt, zwei Freiplätze für ein Konzert zu haben, das, wie ich in den Zeitungen gelesen hatte, sich wahrscheinlich als eines der herausragenden Ereignisse der Londoner Musiksaison erweisen würde. Ich überlegte mir, mit welchem geeigneten Gefährten ich mein Glück teilen sollte und brauchte nicht lange, um zu einer Entscheidung zu gelangen.

Seit einiger Zeit hatten meine Gedanken um ein Mädchen gekreist – Sie kennen sie wahrscheinlich – ein Mädchen namens Florrie Hamlett, Tochter des Admirals Hamlett – ihre Mutter war eine Wynge, eine eher schreckliche alte Wachtel, doch dafür konnte ja Florrie nichts. Sie und ich – und wenn ich «sie» sage, meine ich natürlich Florrie, nicht die alte Wachtel von Mutter – hatten uns in letzter Zeit viel gesehen, wenn auch nicht annähernd so oft, wie ich es mir gewünscht hätte. Ich gestehe, daß mir ihre Gesellschaft befremdlich gut zusagte, und sie hatte anscheinend keine sehr starken Einwände gegen die meine. Wissen Sie, wir paßten besonders gut zueinander. Ich glaube, sie unterschied sich sehr von gewöhnlichen Mädchen – schrecklich gut aussehend, mit einer reizenden Figur und sehr blondem Haar, und dennoch das, was man ernsthaft nennen könnte, beinahe wirklich ein Schöngeist. Das heißt, sie las gelegentlich Bücher und pflegte

would go to plays that weren't musical comedies, and was quite keen about art and music. Naturally, therefore, she seemed a bit alarming to most of the young men she met, who were content to admire her from a safe distance and left the field pretty open to anyone of her own mental calibre. Not that she wasn't extremely popular; she was, especially with her girl friends. She had been a bridesmaid oftener than any of her contemporaries. She was so accustomed to standing over the hot-water pipes in the aisles of churches, grasping bouquets of heavily scented lilies; she was so used to posing for press photographers in draughty porches, that she was practically immune from the effects of heat, cold, or nausea. She and I, as I said before, were the very best of friends, and I must admit that I was only awaiting a favourable opportunity to convert that friendship into something more durable and satisfactory.

When I got home that evening I rang Florrie up on the telephone and explained the whole business to her. She was fortunately free on Tuesday evening, and expressed herself as delighted with the idea of dining somewhere with me, and going on afterwards to the Heinzmacher concert.

I was very anxious that the party should prove a success, but felt a bit worried over the question of choosing a suitable restaurant. You see, if one is taking a girl to a musical comedy, the obvious place to dine at is the Savoy or the Berkeley or somewhere like that. But before a concert of serious music it seems more appropriate to choose less fashionable and conventional surroundings. I knew of a little restaurant at the back of Oxford Street where the atmosphere was more in keeping with the spirit in which one attends classical concerts, and Florrie promised to meet me there at seven o'clock.

I engaged a small table in the window, and, five

sich Theaterstücke anzusehen, die keine musikalischen Lust-spiele waren, und sie war ganz erpicht auf Kunst und Musik. Deshalb erschien sie natürlich den meisten jungen Männern, denen sie begegnete, ein wenig beunruhigend; sie begnügten sich damit, sie aus sicherer Entfernung zu bewundern und überließen das Feld eigentlich jedem, der es geistig mit ihr aufnehmen konnte. Nicht etwa, daß sie nicht äußerst beliebt war; sie war es, besonders bei ihren Freundinnen. Sie war öfter als irgendeine ihrer Kameradinnen Brautjungfer gewe-sen. Sie war so daran gewöhnt, über den Warmwasserleitun-gen in den Kirchenschiffen zu stehen und dabei Sträuße schwer duftender Lilien in den Armen zu halten; sie war so gewöhnt, für Pressephotographen in zugigen Kirchenvorhal-len aufzutreten, daß sie nahezu gefeit gegen die Folgen von Hitze, Kälte oder Übelkeit war. Sie und ich waren, wie ich schon oben gesagt habe, die allerbesten Freunde, und ich muß zugeben, daß ich nur eine günstige Gelegenheit abwartete, um diese Freundschaft in etwas Dauerhafteres und Befriedi-genderes umzuwandeln.

Als ich an jenem Abend nach Hause kam, rief ich Florrie an und erklärte ihr das ganze Vorhaben. Zum Glück war sie am Dienstagabend frei; sie gab zu verstehen, daß sie ent-zückt sei bei der Vorstelllung, irgendwo mit mir zu Abend zu essen und hinterher in das Heinzmacher-Konzert zu gehen.

Mir war sehr daran gelegen, daß die Einladung sich als Erfolg erweise, doch die Wahl eines passenden Speiselokals machte mir ein wenig Kummer. Sie wissen ja, wenn man ein Mädchen in ein musikalisches Lustspiel führt, bietet sich das Savoy oder das Berkeley oder etwas dergleichen von selbst als Ort an, um zu Abend zu essen. Aber vor einem Konzert mit ernster Musik erscheint es angemessener, einen herkömmli-chen und weniger modischen Rahmen zu wählen. Ich wußte von einem kleinen Restaurant hinter der Oxford Street, wo die Umgebung mehr mit dem Geist übereinstimmte, in dem man klassische Konzerte besucht, und Florrie versprach mir, mich dort um sieben Uhr zu treffen.

Ich bestellte einen kleinen Tisch am Fenster, und fünf

minutes before the appointed hour, I might have been seen sitting there, impatiently studying the menu. At Bonavento's the food is very nearly as good as at the Carlton or the Savoy; it is possibly the very same food, only not quite so fresh, and certainly, by the time one has paid for the numerous extras, it seems almost equally as expensive. In some ways it is perhaps not quite so attractive as the less Bohemian restaurants, and I took the precaution of removing the vase containing three faded chrysanthemums, the saucer of damp olives, and the ash-tray advertising a well-known mineral water with which the table was decorated.

It was not until twenty minutes past seven that the swing-door opened and Florrie came into the room. I was alarmed to notice that she was not alone, but was accompanied by her mother, old Lady Hamlett, a lady for whom I had always entertained an active dislike. As a rule I am extremely fond of old ladies, as they are of me. It's a saying in our family that dogs, governesses and elderly ladies all regard me with an instinctive affection which is flattering to my vanity, though at times somewhat embarrassing. Lady Hamlett was the single exception to this rule. Our common fondness for Florrie caused us to regard one another with mutual suspicion, and we were never really happy together. I was therefore conscious of a feeling of intense disappointment which I fear I may have betrayed by my expression, for Florrie hurriedly began to make excuses for her mother's presence.

"I hope you don't mind," she said, "but poor mother was all alone tonight and had nowhere to go."

I suppressed a strong inclination to suggest that Lady Hamlett might quite profitably have gone to bed.

"Delighted, I'm sure," I answered rather grimly,

Minuten vor der vereinbarten Stunde mochte ich dort gesessen und ungeduldig die Speisekarte studiert haben. Bei Bonavento ist das Essen annähernd ebenso gut wie im Carlton oder im Savoy; es ist möglicherweise genau das gleiche Essen, nur nicht ganz so frisch, und sicherlich scheint es, bis man für die zahlreichen Sonderleistungen bezahlt hat, beinahe ebenso teuer zu sein. In mancher Hinsicht ist es vielleicht nicht ganz so einladend wie die weniger unkonventionellen Restaurants, und vorsichtshalber räumte ich den Tischschmuck beiseite: die Vase, die drei verblühte Chrysanthemen enthielt, die Untertasse mit feuchten Oliven und den für ein wohlbekanntes Mineralwasser werbenden Aschenbecher.

Erst zwanzig Minuten nach sieben ging die Drehtür auf, und Florrie betrat den Raum. Ich war beunruhigt, als ich sah, daß sie nicht allein war, sondern in Begleitung ihrer Mutter, der alten Lady Hamlett, einer Dame, für die ich stets eine lebhafte Abneigung gehegt hatte. Gewöhnlich habe ich alte Damen überaus gern, ebenso wie sie mich gerne mögen. In unserer Familie gibt es eine Redensart, nach der Hunde, Hauslehrerinnen und ältere Damen mich alle mit einer unbewußten Zuneigung betrachten, die zwar für meine Eitelkeit schmeichelhaft, wenn auch mitunter etwas peinlich ist. Lady Hamlett war die einzige Ausnahme von dieser Regel. Unsere gemeinsame Liebe zu Florrie bewirkte, daß wir uns gegenseitig mit Argwohn betrachteten, und wir waren miteinander nie wirklich glücklich. Ich wurde mir daher eines Gefühls heftiger Enttäuschung bewußt, die ich, so fürchte ich, vielleicht durch meine Miene verraten habe, denn Florrie begann, sich schnell für die Anwesenheit ihrer Mutter zu entschuldigen.

«Ich hoffe, es macht dir nichts aus», sagte sie, «doch die arme Mutter war heute abend ganz allein und konnte nirgendwo hingehen.»

Ich unterdrückte eine starke Neigung, darauf hinzuweisen, daß es ja ganz nützlich hätte sein können, wenn sie zu Bett gegangen wäre.

«Freut mich sehr, selbstverständlich», antwortete ich ziem-

for I knew that, so far as I was concerned, the evening was ruined.

"Mother's so fond of music," Florrie continued. "She was wondering whether it would be possible to squeeze her in somewhere."

Anyone who had given a fleeting glance at Lady Hamlett's ample proportions would realize that not even with a giant shoe-horn could one possibly squeeze her into any space covered by less than three ordinary stalls.

"I do hope I'm not being a great bore," said Lady Hamlett.

"How can you think that?" I protested, though I could conceive of no reason for thinking otherwise.

Dinner proceeded gloomily enough. Florrie was unusually silent and, in spite of many efforts to behave decently, I could not help sulking, while Lady Hamlett's conversation added little to the gaiety of the meal.

"Dear Mr Enderby," she said – my name does not happen to be Enderby, as you know, but she can never remember names –"Dear Mr Enderby"– I might mention that Enderby is an admirer of Florrie's whom I particularly dislike –"I had no idea that you made any pretence even of being musical."

Somehow the word "pretence" roused all my worst passions.

"I expect I'm just as musical as most people who go to concerts," I said.

"Nonsense," said Florrie, coming to her mother's aid. "You know quite well you don't know anything at all about it."

"What on earth do you mean?" I asked indignantly.

"Well, you don't *play* anything – the piano, for instance——"

"The piano is not the only instrument in the world," I said rather coldly.

lich grimmig, denn ich wußte, daß der Abend, so weit es mich betraf, verpfuscht war.

«Mutter mag Musik so gern», fuhr Florrie fort. «Sie hat sich gedacht, daß es doch vielleicht möglich wäre, sie irgendwo hineinzuzwängen.»

Jeder, der nur einen flüchtigen Blick auf Lady Hamletts stattliche Ausmaße geworfen hatte, würde merken, daß man die Frau nicht einmal mit einem riesigen Schuhlöffel irgendwo hineinquetschen könnte, wo für weniger als drei gewöhnliche Sperrsitze Platz war.

«Ich hoffe wirklich, daß ich nicht sehr lästig falle», sagte Lady Hamlett.

«Wie können Sie das glauben?» wandte ich ein, obschon ich mir keinen Anlaß vorstellen konnte, anders zu denken.

Das Abendessen ging in ziemlich trübseliger Stimmung vor sich. Florrie war ungewöhnlich schweigsam, und trotz vielen Bemühungen, mich ordentlich zu betragen, mußte ich einfach schmollen, während Lady Hamletts Unterhaltung wenig zur Heiterkeit des Mahles beitrug.

«Lieber Mr Enderby», sagte sie – ich heiße, wie Sie wissen, zufällig nicht Enderby, doch sie kann Namen nie behalten – «Lieber Mr Enderby», –ich möchte erwähnen, daß Enderby, gegen den ich eine besondere Abneigung habe, ein Verehrer von Florrie ist – «ich hatte keine Ahnung, daß Sie irgendeinen Anspruch darauf erheben, musikalisch zu sein.»

Irgendwie erregte das Wort «Anspruch» alle meine schlimmsten Leidenschaften.

«Ich hoffe, ich bin ebenso musikalisch wie die meisten Leute, die in Konzerte gehen», sagte ich.

«Unsinn», sagte Florrie, die ihrer Mutter zu Hilfe kam. «Du weißt sehr wohl, daß du davon überhaupt nichts verstehst.»

«Was um alles in der Welt meinst du damit?» fragte ich entrüstet.

«Nun, du spielst doch gar kein Instrument – Klavier zum Beispiel ...»

«Das Klavier ist nicht das einzige Instrument auf der Welt», sagte ich ziemlich kalt.

"Good gracious! Do you mean to say that you *do* play something?"

"Certainly I do."

"What *can* it be? Don't tell me that you've got a secret vice; that you play the trombone in your bedroom? I couldn't bear it!"

"You're being very funny, I'm sure," I said. "But I can't see anything peculiarly amusing about a trombone. In any case I do not happen to perform upon that particular instrument."

"Then what particular instrument do you happen to perform on?"

"If you want to know," I replied, "I happen to play the bassoon."

Florrie gave a shriek of girlish laughter. Her mother joined in with an irritating cackle that was particularly irritating.

"How too marvellous!" said Florrie.

"I really don't see anything to laugh at," I said. "You seem to have a very warped sense of humour."

"But it's wonderful," she insisted. "You must look too frightfully funny, you and your bassoon. I'd give worlds to see you. Won't you come to tea one night and play to me?"

"I shall do nothing of the sort," I answered with growing annoyance.

"Not if I ask you to?"

"Not even if you went on your knees——"

"The chances of my ever assuming that attitude for such an absurd purpose are very remote!" Florrie, by this time, was herself becoming a trifle nettled.

"Then I think, as it's just after eight o'clock, we'd better go to our concert. Or rather," I added, "to *your* concert, for I doubt very much if I shall get in."

"Oh, that'll be all right," said Florrie unkindly.

«Du meine Güte! Willst du sagen, daß du *tatsächlich* etwas spielst?»

«Gewiß.»

«Was *kann* es sein? Erzähle mir bloß nicht, daß du ein geheimes Laster hast; daß du in deinem Schlafzimmer Posaune spielst? Ich könnte es nicht ertragen.»

«Du bist ja nun sehr witzig», sagte ich. «Aber ich kann überhaupt nichts sonderlich Belustigendes an einer Posaune finden. Jedenfalls spiele ich zufällig nicht auf diesem auffallenden Instrument.»

«Auf was für einem auffallenden Instrument spielst du denn?»

«Wenn du es wissen willst», erwiderte ich, «ich spiele zufällig Fagott.»

Florrie stieß ein gellendes Mädchenlachen aus. Ihre Mutter gesellte sich dazu mit einem ärgerlichen Gegacker, das besonders aufreizend war.

«Wie überaus erstaunlich!» sagte Florrie.

«Ich weiß wirklich nicht, worüber zu lachen wäre», sagte ich. «Du hast anscheinend einen sehr verschrobenen Sinn für Humor.»

«Aber es ist wunderbar», antwortete sie mit Nachdruck. «Du mußt ganz schrecklich komisch aussehen, du und dein Fagott. Ich gäbe sehr viel darum, wenn ich dich sehen könnte. Willst du nicht eines Abends zum Tee kommen und mir vorspielen?»

«Ich werde nichts dergleichen tun», antwortete ich mit wachsender Verärgerung.

«Auch nicht, wenn ich dich darum bitte?»

«Nicht einmal, wenn du auf den Knien ...»

«Die Aussichten, daß ich diese Haltung jemals für so einen albernen Zweck einnehme, sind sehr gering!» Unterdessen wurde Florrie selber ein wenig gereizt.

«Dann denke ich, da es eben nach acht Uhr ist, sollten wir lieber in unser Konzert gehen. Oder eher», fügte ich hinzu, «in *Euer* Konzert, denn ich bezweifle sehr stark, ob ich hineinkommen werde.»

«Oh, das wird in Ordnung gehen», sagte Florrie unfreund-

"You've only got to tell them that you play the bassoon!"

I turned a withering glance in her direction and rose from the table to show that meal was at an end.

We drove in silence to the King's Hall, and I had barely paid the taxi when Lady Hamlett uttered an exclamation of annoyance.

"Oh, dear!" she said. "What *do* you think I've done?"

There was no folly that I did not imagine her capable of committing, but I refrained from saying so.

"If I haven't left my little bag in the restaurant!" she went on. She turned to me. "I wonder if you'd be so very kind——"

"Oh, certainly!" I interrupted her bitterly. "I shall be delighted to go back and fetch it. Here are the tickets." I gave the envelope to Florrie. "Perhaps if you could ask for Mr Basley – he's one of the orchestra – and leave my name at the door, he might be able to find a place for me."

I left my companions to find their own way to their seats, picked up another taxi, drove back to Bonavento's and there with some difficulty found and identified Lady Hamlett's bag. By the time I had returned to the King's Hall, the concert had begun and I found the doors of the auditorium mercilessly closed against me during the performance of the first item on the programme.

There was nothing to be done save to possess my soul in patience, but as soon as the doors were reopened I hastily made my way to the passage at the back of the orchestra and hailed an attendant.

"I'm late," I explained. "But perhaps Mr Basley left word——"

"Basley? Quite right," said the man. "We've been expecting you. You're only just in time. Come along."

I was immensely relieved to think that Florrie had

lich. «Du brauchst ihnen nur zu sagen, daß du das Fagott spielst!»

Ich warf ihr einen vernichtenden Blick zu und erhob mich vom Tisch, um darzutun, daß das Essen zu Ende sei.

Schweigsam fuhren wir zur King's Hall, und kaum hatte ich das Taxi bezahlt, als Lady Hamlett einen gequälten Ausruf von sich gab.

«Ach, du liebe Zeit!» sagte sie. «Was glauben Sie denn, was ich getan habe?»

Es gab keine Torheit, die ich ihr nicht zugetraut hätte, doch ich hütete mich, das zu sagen.

«Wenn ich nur nicht mein Täschchen im Restaurant gelassen habe!» fuhr sie fort. Sie wandte sich an mich. «Ich weiß nicht, ob Sie so nett sein würden ...»

«Oh gewiß!» unterbrach ich sie verbittert. «Es wird mir eine Freude sein, zurückzufahren und es zu holen. Hier sind die Eintrittskarten.» Ich gab Florrie den Umschlag. «Wenn du Dich vielleicht nach Mr Basley – er ist einer vom Orchester – erkundigen und meinen Namen am Eingang hinterlassen könntest, wäre es ihm vielleicht möglich, für mich einen Platz zu finden.»

Ich überließ es meinen Begleiterinnen, selber den Weg zu ihren Plätzen zu suchen, gabelte ein anderes Taxi auf, fuhr zu Bonavento zurück; mit einiger Mühe fand und erkannte ich Lady Hamletts Tasche.

Bis ich zur King's Hall zurückgekehrt war, hatte das Konzert begonnen, und ich fand die Türen des Saales während der Darbietung des ersten Programmpunkts erbarmungslos vor mir verschlossen.

Es blieb nichts anderes übrig, als mich in Geduld zu fassen, doch sobald die Türen wieder aufgingen, bahnte ich mir eilig den Weg zum Durchgang hinter dem Orchester und rief einen Aufseher.

«Ich habe mich verspätet», erklärte ich. «Aber vielleicht hat Mr Basley eine Nachricht hinterlassen ...»

«Basley? Ganz recht», sagte der Mann. «Wir erwarten Sie schon. Sie kommen gerade noch rechtzeitig. Kommen Sie!»

Ich war unendlich erleichtert bei dem Gedanken, daß es

somehow managed to get me a seat, and quickly followed the attendant as he threaded his way through the orchestra.

"Here you are," he said, pointing to an empty chair.

I sat down as quietly as possible, for I realized that the performance was about to be resumed, and my entrance seemed already to have caused a slight disturbance.

Once settled in my seat I had leisure to look round, and was astonished to find that I seemed to be sitting in the very centre of the orchestra itself. I realized that this was so when I noticed that on either side of me sat a man holding a bassoon in his hand.

The one on my right turned and whispered something in my ear.

"What do you say?" I enquired.

"Deputizing, eh?"

"I beg your pardon?"

He leant across to his fellow bassoon player.

"Old Basley's funked it after all," he said. "I thought he would."

"Yes," replied the other. "Jerry put the wind up him properly at rehearsal!" Then he turned to me. "You nearly missed the bus!" he said.

I confess that I found these cryptic remarks somewhat puzzling, and was about to ask for enlightenment when the conductor – no less a person than the great Herr Heinzmacher himself – tapped on his desk. A tense silence fell upon the house. A thrill of expectancy was in the air. I sat up and prepared to enjoy myself.

Suddenly the player on my right jogged my elbow.

"Where's your instrument?" he asked in an agonized whisper. "Here," he added, as I made no reply to this incomprehensible question, "for God's sake take mine!"

Florrie irgendwie gelungen war, für mich einen Platz aufzu-
treiben, und ich folgte dem Wärter, als dieser sich durch das
Orchester hindurchschlängelte.

«Hier sitzen Sie!» sagte er und zeigte auf einen freien
Stuhl.

Ich setzte mich so leise wie möglich, denn ich merkte, daß
die Aufführung gerade wieder beginnen sollte, und daß mein
Hereinkommen anscheinend schon eine leichte Störung verursacht hatte.

Sobald ich mich auf meinem Platz niedergelassen hatte,
hatte ich Muße, mich umzusehen und stellte erstaunt fest,
daß ich anscheinend mitten im Orchester saß. Es war wirklich
so, denn ich merkte, daß neben mir auf jeder Seite ein Mann
saß, der ein Fagott in der Hand hielt.

Der zu meiner Rechten wandte sich mir zu und flüsterte
mir etwas ins Ohr.

«Was sagen Sie?» fragte ich.

«Einspringen, hm?»

«Wie bitte?»

Er beugte sich hinüber zu seinem Fagott-Kollegen.

«Der alte Basley hat sich also doch gedrückt», sagte er. «Ich
dachte mir's ja.»

«Ja», erwiderte der andere. «Jerry hat ihm bei der Probe
einen ordentlichen Bammel eingejagt!» Dann wandte er sich
an mich. «Sie haben beinahe den Bus versäumt!» sagte er.

Ich gestehe, daß mir diese dunklen Bemerkungen etwas
rätselhaft vorkamen und wollte gerade um Aufklärung bitten,
als der Dirigent – kein Geringerer als der große Herr Heinzmacher selbst – auf sein Pult klopfte. Angespannte Stille er-
füllte das Haus. Ein Schauer der Erwartung lag in der Luft.
Ich richtete mich auf und machte mich darauf gefaßt, mich
gut zu unterhalten.

Plötzlich stieß mich der Spieler zu meiner Rechten am Ellbogen an.

«Wo ist denn Ihr Instrument?» fragte er in einem gequälten Flüstern. «Hier», fügte er hinzu, weil ich auf diese unbe-
greifliche Frage keine Antwort gab, «nehmen Sie um Him-
mels willen meines!»

He pushed a bassoon into my hand, turned to his colleague and uttered one word: "Balmy!"

I looked up and noticed that Herr Heinzmacher was gazing at me with a very peculiar and embarrassing expression on his face - an expression in which ferocity and astonishment seemed to be fighting for supremacy. He tapped his desk again, raised his baton, pointed it directly at me and made two passes in the air. The silence seemed to have grown more profound than ever, and I became conscious that the eyes of every member of the orchestra were concentrated upon me. The player on my left gave my leg an agonizing pinch and pointed to the music on a stand in front of me.

"Your stunt," he whispered. "Go to it!"

With a sensation of inexpressible alarm, I observed the words "Solo Obbligato" written in red ink across the top of the manuscript. Suddenly, like a man waking from a dream, I appreciated the full horror of my position. I realized that I was assumed to be deputizing for the absent Basley, and that upon me devolved the duty of playing the opening bars of the famous "Die Schöpfung" symphony which was now to be given for the first time in England.

Herr Heinzmacher had grown pale, a look of intolerable anxiety was in his eye, while large beads of perspiration bespangled his brow. He tapped his desk again in a desperate fashion and once more began to wave his baton at me with a passionate gesture of entreaty, while a faint echo of the word "Schweinhund!" floated from his desk in my direction.

To say that my heart stood still would be but a mild way of expressing my sensations. At that moment, as I believe happens in the case of drowning men, all my past life seemed to flash across my mind. I saw the world in a grain of sand and Eternity in an hour. And of the many incidents that I

Er drängte mir ein Fagott in die Hand, wandte sich an seinen Kollegen und flüsterte ein einziges Wort: «Weich!»

Ich blickte auf und bemerkte, daß Herr Heinzmacher mich mit einem sehr eigenartigen und peinlichen Gesichtsausdruck anstarrte – einem Ausdruck, in dem Wildheit und Verwunderung um den Vorrang zu kämpfen schienen. Er klopfte abermals auf sein Pult, hob seinen Stab, deutete geradewegs auf mich und machte zwei Stöße in die Luft.

Die Stille schien tiefer denn je geworden zu sein, und mir wurde bewußt, daß die Augen jedes Orchestermitglieds auf mich gerichtet waren. Der Spieler zu meiner Linken zwickte mich so ins Bein, daß es schmerzte und zeigte auf die Noten, die vor mir auf einem Ständer lagen.

«Ihr Glanzstück», flüsterte er. «Los!»

Mit einem Gefühl unsagbarer Bestürzung bemerkte ich, daß die Worte «Solo Obligato» mit roter Tinte quer über den Kopf des Manuskripts geschrieben waren. Auf einmal erkannte ich deutlich, wie jemand, der aus einem Traum erwacht, den vollen Schrecken meiner Lage. Man nahm an, wie ich jetzt begriff, daß ich den fehlenden Basley vertreten sollte und daß mir die Pflicht zufiel, die Eröffnungstakte der berühmten Sinfonie «Die Schöpfung» zu spielen, die jetzt erstmals in England dargeboten werden sollte.

Herr Heinzmacher war blaß geworden, ein Ausdruck unerträglicher Besorgnis lag in seinem Blick, während große Schweißtropfen auf seiner Stirne glänzten. Wiederum klopfte er verzweifelt auf sein Pult und noch einmal begann er seinen Stab auf mich zu mit einer leidenschaftlichen Geste nachdrücklichen Bittens zu schwenken, während ein schwaches Echo des Wortes «Schweinehund!» von seinem Pult in meine Richtung herüberschwebte.

Würde ich sagen, daß mein Herz stillstand, so wäre dies nur eine milde Art, meine Empfindungen auszudrücken. In jenem Augenblick schien mein ganzes vergangenes Leben blitzschnell an meinem Geist vorbeizuziehen, wie es wohl häufig im Falle Ertrinkender geschieht. Ich sah die Welt in einem Sandkorn und die Ewigkeit in einer Stunde. Und von

recalled in that brief instant of time one memory stood out with extraordinary prominence. I was back again in the old school drill-hall; in imagination I saw before me the tall figure of Dr Rollo Posner conducting his notorious "Harvesting Time"; once more I heard myself playing the "cow" motif!

Half-consciously I clasped and raised the bassoon with fingers grown suddenly familiar, and, like a lover who has too long been parted from his mate, closed my lips in ecstasy upon the reed.

Just at that second I chanced somehow to catch sight of Florrie and her egregious mother, out of the corner of my eye, as they sat apparently spellbound behind the double basses. A wave of indignation swept over me. "I'll show them whether I can play!" I thought. "I'll teach them to laugh at my beloved bassoon!" And before the conductor's baton had reached its eighth beat I had come to a clear and rapid decision. I saw my duty plain before me, and in another moment I had taken a deep breath and with inflated cheeks was frenziedly playing as much as I could remember of the brief obbligato that twenty years ago had excited so much comment from the parents of my little play-fellows at the school concert.

It is no exaggeration to say that on this occasion I played as I had never played before – indeed, as one inspired. Herr Heinzmacher's expression of rage gave place to a look of fascinated perplexity. The veins on his neck stood out so prominently that at any moment he seemed to be in danger of exploding. He could still be heard muttering the strangest Teutonic oaths under his breath but he did not completely lose his self-control, and mechanically kept on beating time with a trembling baton.

At the back of the orchestra the worthy tympani-players had been laboriously counting the beats,

den zahlreichen Vorfällen, die ich mir in jenem kurzen Augenblick ins Gedächtnis rief, ragte eine Erinnerung außerordentlich deutlich heraus. Ich war wieder zurückversetzt in die alte Exerzierhalle der Schule; im Geiste sah ich vor mir die hochgewachsene Gestalt von Dr. Rollo Posner, wie er seine nur zu bekannte «Erntezeit» dirigierte; noch einmal hörte ich mich das «Kuh»-Motiv spielen.

Fast unbewußt umklammerte ich das Fagott, hob es hoch mit Fingern, denen es plötzlich wieder vertraut wurde, und schloß entzückt die Lippen auf dem Mundstück wie ein Liebhaber, der allzu lange von seinem Schatz getrennt war.

Genau in dieser Sekunde fiel mein Blick irgendwie zufällig von der Seite auf Florrie und ihre unbeschreibliche Mutter, wie sie offensichtlich gebannt hinter den Kontrabässen saßen. Eine Woge der Entrüstung fegte über mich hinweg. «Ich werde ihnen zeigen, ob ich spielen kann!» dachte ich. «Ich werde sie lehren, über mein geliebtes Fagott zu lachen!» Und ehe der Stab des Dirigenten seinen achten Takt erreicht hatte, war ich zu einer klaren und raschen Entscheidung gelangt. Ich sah meine Pflicht deutlich vor mir, hatte in einem weiteren Augenblick einen tiefen Atemzug genommen und spielte nun in höchster Erregung mit geblähten Backen alles, was mir von dem kurzen Obligato in Erinnerung geblieben war, das vor zwanzig Jahren beim Schulkonzert für so viel Gerede unter den Eltern meiner kleinen Spielkameraden gesorgt hatte.

Es ist keine Übertreibung, wenn man sagt, daß ich bei dieser Gelegenheit spielte, wie ich nie zuvor gespielt hatte – in der Tat wie jemand, der angefeuert wird. Herrn Heinzmachers wütende Miene machte einem Ausdruck hingerissener Verdutztheit Platz. Seine Halsadern traten so sehr hervor, daß er jeden Augenblick, wie es schien, zu platzen drohte. Man konnte immer noch hören, wie er die seltsamsten teutonischen Flüche vor sich hin murmelte, doch er verlor seine Selbstkontrolle nicht völlig und schlug weiterhin mechanisch mit zitterndem Dirigierstab den Takt.

Hinten im Orchester hatten die ehrenwerten Paukenspieler fleißig die Taktstriche gezählt und auf ihren Einsatz

awaiting their cue, and at the end of their sixteen bars' rest they came in with a loud roll on the kettle-drums. In another moment the whole band of musicians had taken up the tale, and the great "Die Schöpfung" symphony was safely launched upon its way.

The unaccustomed strain had proved almost too much for me. Shattered and exhausted I sank into my chair, buried my head in my hands, and allowed my neighbour to relieve me of his bassoon. Of the result of my efforts I was barely conscious, and yet a feeling of intense exhilaration upheld me, and I could see by the envious glances of my neighbours that mine had been no ordinary triumph.

Of the subsequent events of that evening I remember little. I recall vaguely that at the close of the symphony the ovation given to the composer was unique in its enthusiasm. Herr Heinzmacher was forced to take seven calls; the orchestra stood up no less than three times to acknowledge the applause, and on the last occasion the conductor stepped forward and shook me warmly by the hand. In the subsequent confusion I managed to creep away and escape from the building, and was soon back at home.

That night I slept like a tired child, woke late next morning, and, after a hearty breakfast, turned with interest to my daily paper to read the musical critic's notice of the performance. It read as follows:

The principal feature of last night's Philmelodic Concert at the King's Hall was the performance of Herr Heinzmacher's 'Die Schöpfung' – familiarly known in Dresden as the Sauerkraut Symphony – conducted by the composer in person. Of the merits of Herr Heinzmacher as a conductor it is difficult to speak. His mannerisms are peculiar and his methods eccentric. The passionate intensity, the dramatic ex-

gewartet. Am Ende ihrer sechzehn Takte währenden Pause kamen sie mit einem lauten Wirbel auf den Kesselpauken an die Reihe. Unmittelbar danach hatte das ganze Musiker-Ensemble die Geschichte aufgenommen, und die große Sinfonie «Die Schöpfung» war sicher auf den Weg gebracht.

Der ungewohnte Druck hatte sich fast als zuviel für mich erwiesen. Mitgenommen und erschöpft sank ich auf meinen Stuhl, begrub meinen Kopf in den Händen und gestattete meinem Nachbarn, mir sein Fagott abzunehmen. Des Erfolgs meiner Bemühungen war ich mir kaum bewußt, und doch gab mir ein Gefühl starker Heiterkeit Auftrieb, und an den neidischen Blicken meiner Nachbarn konnte ich ablesen, daß mein Erfolg kein alltäglicher gewesen war.

An die nachfolgenden Ereignisse jenes Abends erinnere ich mich wenig. Ich entsinne mich undeutlich, daß am Ende der Sinfonie der dem Dirigenten gespendete Beifall einzigartig in seiner Begeisterung war. Herr Heinzmacher mußte sieben-mal ans Pult treten; das Orchester erhob sich nicht weniger als dreimal, um sich für den Beifall zu bedanken, und beim letzten Herausruf trat der Dirigent vor und schüttelte mir herzlich die Hand. In dem nachfolgenden Durcheinander gelang es mir, mich fortzuschleichen und aus dem Gebäude zu entkommen, und bald war ich wieder daheim.

In jener Nacht schlief ich wie ein müdes Kind. Am nächsten Morgen wachte ich spät auf und wandte mich nach einem herzhaften Frühstück gespannt meiner Tageszeitung zu, um zu lesen, was der Musikkritiker über die Aufführung ge-schrieben hatte. Es lautete folgendermaßen:

Der Hauptprogrammpunkt des Konzerts der Philmelodiker in der King's Hall gestern abend war die Aufführung von Herrn Heinzmachers «Schöpfung» – in Dresden allgemein als Sauerkrautsinfonie bekannt –, die vom Komponisten persön-lich dirigiert wurde. Es ist schwierig, von den Verdiensten Herrn Heinzmachers als Dirigent zu sprechen. Seine Eigen-willigkeiten sind seltsam und seine Ausdrucksweisen über-spannt. Die leidenschaftliche Heftigkeit, der dramatische

uberance, with which he conducted the delicate opening phrases of his work, seemed out of all proportion to their content, and adversely affected the balance of an orchestra accustomed to the less ferocious methods of our native conductors. Later on, however, Herr Heinzmacher succeeded in demonstrating his complete control over a band of instrumentalists whom we may well regard as artistically and technically superior to any foreign orchestra. The woodwind was especially true and accurate in attack –

the humorous bassoon obbligato, suggestive (as we read in the Synopsis) of the first appearance on earth of animal life in the shape of cattle, was handled with especial virtuosity by a player whose name was not given on our programme ...

I sent out for an early edition of the *Evening Post*, and read a similarly laudatory criticism:

... It is only fair to say that if "Die Schöpfung" is typical of Herr Heinzmacher's work, our English composers must look to their laurels. The symphony, as its name implies, is founded upon that most sublime of themes, the Creation of the World, and is suitably divided into six movements, each representing a day of the Creator's busiest week. The first (Andante) movement opens most originally with four completely silent bars during which nothing is heard but the faint fluttering of the conductor's baton, doubtless symbolical of the beating wings of that Angel of Peace which hovered over the deep, ere Time was and Life began. Gradually through the stillness one hears (from a single bassoon, admirably played by Mr Josiah Basley) the faint indeterminate bleatings of some antediluvian monster rising from its primordial ooze, and typifying Matter's first vain attempt at self-creation. After a marvellously ma-

Überschwang, mit dem er die zarten einleitenden Perioden seines Werkes dirigierte, schienen in keinem Verhältnis zu ihrem Inhalt zu stehen und beeinflußten nachteilig die Ausgewogenheit des Orchesters, das an die weniger ungestümen Ausdrucksweisen unserer heimischen Dirigenten gewöhnt ist. Später jedoch gelang es Herrn Heinzmacher, seine vollkommene Herrschaft über ein Orchester von Instrumentalisten unter Beweis zu stellen, das wir mit gutem Grund als künstlerisch und technisch jedem ausländischen Orchester überlegen betrachten dürfen. Die Holzblasinstrumente waren besonders sicher und genau im Einsatz – das humorvolle Fagott-Obligato, das (wie wir in der Zusammenfassung lesen) das erste Auftreten tierischen Lebens auf der Erde in der Gestalt von Rindvieh andeutet, wurde mit besonders vollendeter Technik vorgetragen von einem Spieler, dessen Name in unserem Verzeichnis nicht aufgeführt ist ...

Ich ließ mir eine Frühausgabe der *Evening Post* kommen und las eine ähnlich lobende Besprechung:

... Wenn «Die Schöpfung» für Herrn Heinzmachers Schaffen bezeichnend ist, so ist es nur recht und billig, zu sagen, daß unsere englischen Komponisten auf ihre Lorbeeren achten müssen. Die Sinfonie beruht, wie ihr Name andeutet, auf jenem erhabensten aller Stoffe, der Erschaffung der Welt, und ist entsprechend in sechs Sätze eingeteilt, von denen jeder einen Tag in der arbeitsreichsten Woche des Schöpfers darstellt. Der erste Satz (Andante) beginnt überaus neuartig mit vier völlig stummen Takten, in denen man nichts hört als das schwache Flattern des Dirigierstabs, sicherlich sinnbildlich für die schlagenden Flügel jenes Friedensengels, der über der Tiefe schwebte, ehe es die ZEIT gab und das LEBEN begann. Nach und nach vernimmt man durch die Stille hindurch (von einem einzigen Fagott wunderbar von Mr Josiah Basley gespielt) das schwache unklare Blöken irgendeines vorsintflutlichen Ungeheuers, das sich aus seinem Urschlamm erhebt und den ersten erfolglosen Versuch der MATERIE verkörpert, sich selbst zu erschaffen. Nach einer unglaublich geschickt vorgetragenen

nipulated cadenza comes a sudden roll on the ket-
tle-drums – handled with his usual verve by Mr
Blodge, the doyen of tympanists, whom we are glad
to see back after his recent bereavement. This is
followed by a deafening crash from the cymbals,
frightening the reign of Chaos and old Night, and
signifying the thunderous anger of a jealous Pro-
vidence. And presently the strings, woodwind, and
brass join in, and the movement is carried to a
stately conclusion when the evening and the morn-
ing are the first day, and it is all very good.

It must be admitted that the critics were not all as
enthusiastic as this writer. Indeed, Sir Rollo Posner
wrote indignantly to the *Musical Times* to say that
"Die Schöpfung" was obviously the work of a char-
latan who was not above deliberately stealing his
motifs from earlier English composers. The *Evening
Mail*, too, likened the bassoon solo to the squeak-
ings of an embittered albatross, but I paid no attention to this piece of impertinence.

At about eleven o'clock my telephone-bell rang. I
took off the receiver and heard a well-known and
once-loved voice.

"Hullo!" it said. "Is that you?"

"Yes," I answered, trying to appear cold and dis-
tant. "It's me."

"I felt I just *must* ring you up," said Florrie.

"Really?"

"I had no idea! It was too wonderful!"

"What was?"

"Your playing, of course."

"Oh, that," I answered nonchalantly. "Yes, I remember you said it would be – wonderfully funny!"

"Darling, I'm sorry I was such a beast. Won't you
forgive me?"

"Oh, well..." I began, for my feelings were still
a little sore.

*Kadenz kommt ein plötzlicher Wirbel auf den Kesselpauken –
mit seinem üblichen Schwung gehandhabt von Mr Blodge,
dem dienstältesten Schlagzeuger, den wir nach seinem kürz-
lichen Trauerfall in der Familie zu unserer Freude wieder
zurück sehen. Darauf folgt ein betäubendes Getöse von den
Becken her, das die Herrschaft des* CHAOS *und der finsteren*
NACHT *in Schrecken versetzt und den Donner auslösenden
Zorn einer eifersüchtigen* VORSEHUNG *ankündigt. Und alsbald
setzen die Streicher, Holz- und Blechbläser ein, und der Satz
wird zu einem erhabenen Abschluß getragen, als Abend und
Morgen der erste Tag sind, und es ist alles sehr gut.*

Es muß eingeräumt werden, daß nicht alle Kritiker so be-
geistert waren wie dieser. In der Tat schrieb Dr. Rollo Posner
entrüstet an die *Musical Times*, «Die Schöpfung» sei offensichtlich das Werk eines Schaumschlägers, der sich nicht
scheue, seine Motive vorsätzlich von früheren englischen
Komponisten zu stehlen. Die *Evening Mail* verglich das
Fagott-Solo mit dem Gequiekse eines verbitterten Albatros,
doch ich beachtete diese Frechheit nicht weiter.

Um etwa elf Uhr läutete mein Telefon. Ich nahm den Hörer ab und vernahm eine wohlbekannte und einst geliebte
Stimme.

«Hallo!» sagte sie. «Bist du's?»

«Ja», antwortete ich und versuchte, kalt und abweisend zu
erscheinen. «Ich bin's.»

«Ich hatte das Gefühl, daß ich dich einfach anrufen
mußte», sagte Florrie.

«Wirklich?»

«Ich hatte keine Ahnung. Es war zu herrlich!»

«Was?»

«Dein Spiel, natürlich.»

«Ach, das», antwortete ich gleichgültig. «Ja, ich erinnere
mich, daß du gesagt hast, es sei – herrlich komisch.»

«Liebling, es tut mir leid, daß ich so ein Scheusal war.
Willst du mir nicht verzeihen?»

«Oh, gut...» begann ich, denn ich war noch ein bißchen
eingeschnappt.

"I'm not actually on my knees," she went on, "because the telephone's too high up to reach like that, but I do want to ask you a favour."

"Go ahead," I said, slightly mollified by the tenderness of her tone.

"Will you come round to tea today?" she asked.

"If you really want me to."

"There's nothing I want more. Nothing!"

"Florrie!"

"And you'll bring your bassoon and play it to me, won't you?"

"Darling!"

"At four o'clock, then! Goodbye!"

My cup of happiness was full. I hung up the receiver with a sigh of content, and went off to the boxroom to look for my bassoon.

"That," said Reginald, as he gulped down a glass of old brandy, "is the end of my remarkable story."

"I congratulate you," I said.

"What on?"

"Aren't you going to marry the girl?" I asked.

"Marry her? Me? Oh no!"

"Doesn't she——?"

"No, I'm afraid not."

"Why not?" I said. "Didn't you go to tea?"

"Yes."

"Well?"

"I took my bassoon."

"Yes?"

"And I played it to her," he explained.

"Oh, I see!"

"Charles," Biffin called to the waiter, "bring two more large double brandies, and go on bringing them till I tell you to stop!"

«Ich bin nicht wirklich auf den Knieen», fuhr sie fort, «weil das Telefon zu hoch oben steht, als daß ich es dann erreichen könnte, doch ich möchte dich um einen Gefallen bitten.»

«Nur los!» sagte ich, leicht beschwichtigt durch die Zärtlichkeit ihres Tonfalls.

«Willst du heute zum Tee herüberkommen?» fragte sie.

«Wenn du es tatsächlich wünschst.»

«Es gibt nichts, was ich mehr wünsche. Nichts!»

«Florrie!»

«Und du wirst dein Fagott mitbringen und mir vorspielen, ja?»

«Liebling!»

«Um vier Uhr also! Auf Wiedersehen!»

Mein Glückskelch war voll. Ich hängte den Hörer mit einem Seufzer der Zufriedenheit auf und ging in die Rumpelkammer, um mich nach meinem Fagott umzusehen.

«Das», sagte Reginald, indem er ein Glas alten Branntwein trank, ist das Ende meiner merkwürdigen Geschichte.»

«Ich beglückwünsche Sie», sagte ich.

«Wozu?»

«Jetzt heiraten Sie das Mädchen doch, oder?» fragte ich.

«Sie heiraten? Ich? Oh nein!»

«Will sie nicht?»

«Nein, leider.»

«Wieso?» fragte ich. «Waren Sie nicht zum Tee dort?»

«Doch.»

«Und?»

«Ich habe mein Fagott mitgenommen.»

«Ja?»

«Und ihr vorgespielt», erklärte er.

«Oh, ich verstehe!»

«Charles», rief Biffin den Ober, «bringen Sie noch zwei große doppelte Weinbrand und dann immer weiter das gleiche, bis ich Ihnen sage aufzuhören!»

1

Jerome was called into his housemaster's room in the break between the second and the third class on a Thursday morning. He had no fear of trouble, for he was a warden – the name that the proprietor and headmaster of a rather expensive preparatory school had chosen to give to approved, reliable boys in the lower forms (from a warden one became a guardian and finally before leaving, it was hoped for Marlborough or Rugby, a crusader). The housemaster, Mr Wordsworth, sat behind his desk with an appearance of perplexity and apprehension. Jerome had the odd impression when he entered that he was a cause of fear.

"Sit down, Jerome," Mr Wordsworth said. "All going well with the trigonometry?"

"Yes, sir,"

"I've had a telephone call, Jerome. From your aunt. I'm afraid I have bad news for you."

"Yes, sir?"

"Your father has had an accident."

"Oh."

Mr Wordsworth looked at him with some surprise. "A serious accident."

"Yes, sir?"

Jerome worshipped his father: the verb is exact. As man re-creates God, so Jerome re-created his father – from a restless widowed author into a mysterious adventurer who travelled in far places – Nice, Beirut, Majorca, even the Canaries.

The time had arrived about his eighth birthday when Jerome believed that his father either "ran guns" or was a member of the British Secret Service. Now it occurred to him that his father might have been wounded in "a hail of machine-gun bullets".

1

Jerome wurde an einem Donnerstagmorgen in der Pause zwischen der zweiten und dritten Unterrichtsstunde ins Zimmer des Hausvorstehers gerufen. Er hatte keine Angst vor Unannehmlichkeiten, denn er war ein Ordner – diesen Namen hatte der Eigentümer und Leiter einer ziemlich teuren Vorbereitungsschule bewährten, verläßlichen Jungen in den unteren Klassen zu geben beliebt (der Ordner wurde später Wächter, und schließlich, ehe er die Schule verließ, um, wie man hoffte, nach Marlborough oder Rugby zu gehen, Kreuzfahrer). Der Hausvorsteher, Mr Wordsworth, saß hinter seinem Schreibtisch; seine Miene drückte Bestürzung und Besorgnis aus. Jerome hatte, als er eintrat, den seltsamen Eindruck, daß *er* die Ursache einer Angst war.

«Setz dich, Jerome!» sagte Mr Wordsworth. «Geht mit der Trigonometrie alles gut?»

«Ja, Sir.»

«Ich habe einen Anruf erhalten, Jerome. Von deiner Tante. Leider habe ich eine schlechte Nachricht für dich.»

«Was ist, Sir?»

«Dein Vater hat einen Unfall gehabt.»

«Oh!»

Mr Wordsworth blickte ihn etwas erstaunt an. «Einen ernsten Unfall.»

«Ja, Sir?»

Jerome verehrte seinen Vater: das Wort stimmt genau. So wie der Mensch sich Gott wieder erschafft, so schuf Jerome sich seinen Vater wieder – aus einem ruhelosen, verwitweten Schriftsteller machte er einen geheimnisvollen Abenteurer, der an weit entfernten Orten herumreiste – Nizza, Beirut, Mallorca, sogar auf den Kanarischen Inseln. Etwa an seinem achten Geburtstag war die Zeit gekommen, in der Jerome glaubte, sein Vater sei im Waffengeschäft tätig oder er gehöre dem britischen Geheimdienst an. Jetzt kam ihm der Gedanke, sein Vater sei vielleicht in «einem Hagel von Maschinengewehrkugeln» verwundet worden.

Mr Wordsworth played with the ruler on his desk. He seemed at a loss how to continue. He said, "You know your father was in Naples?"

"Yes, sir."

"Your aunt heard from the hospital today."

"Oh."

Mr Wordsworth said with desperation, "It was a street accident."

"Yes, sir?" It seemed quite likely to Jerome that they would call it a street accident. The police of course had fired first; his father would not take human life except as a last resort.

"I'm afraid your father was very seriously hurt indeed."

"Oh."

"In fact, Jerome, he died yesterday. Quite without pain."

"Did they shoot him through the heart?"

"I beg your pardon. What did you say, Jerome?"

"Did they shoot him through the heart?"

"Nobody shot him, Jerome. A pig fell on him." An inexplicable convulsion took place in the nerves of Mr Wordsworth's face; it really looked for a moment as though he were going to laugh. He closed his eyes, composed his features and said rapidly as though it were necessary to expel the story as rapidly as possible.

"Your father was walking along a street in Naples when a pig fell on him. A shocking accident. Apparently in the poorer quarters of Naples they keep pigs on their balconies. This one was on the fifth floor. It had grown too fat. The balcony broke. The pig fell on your father."

Mr Wordsworth left his desk rapidly and went to the window, turning his back on Jerome. He shook a little with emotion.

Jerome said, "What happened to the pig?"

Mr Wordsworth spielte mit dem Lineal auf seinem Schreibtisch. Er schien in Verlegenheit zu sein, wie er fortfahren sollte und sagte: «Du weißt, daß dein Vater in Neapel war?»

«Ja, Sir.»

«Deine Tante hörte heute aus dem Krankenhaus davon.»

«Oh.»

Mr Wordsworth sagte verzweifelt: «Es war ein Verkehrsunfall.»

«Ja, Sir?» Es erschien Jerome durchaus wahrscheinlich, daß man es einen Verkehrsunfall nennen würde. Natürlich hatte die Polizei zuerst geschossen; sein Vater würde keinem Menschen das Leben nehmen, es sei denn, es gäbe keinen anderen Ausweg.

«Leider wurde dein Vater wirklich sehr schwer verletzt.»

«Oh.»

«Jerome, er ist in der Tat gestern abend gestorben. Ganz ohne Schmerzen.»

«Haben Sie ihn durchs Herz geschossen?»

«Wie bitte? Was hast du gesagt, Jerome?»

«Haben sie ihn durchs Herz geschossen?»

«Niemand hat ihn erschossen, Jerome. Ein Schwein ist auf ihn gefallen.» Mr Wordsworths Gesichtsnerven wurden von einer unerklärlichen Zuckung befallen; eine kleine Weile sah es wirklich so aus, als würde er anfangen zu lachen. Er schloß die Augen, brachte seine Gesichtszüge wieder unter Kontrolle und sagte rasch, als wäre es notwendig, die Geschichte so schnell wie möglich loszuwerden: «Dein Vater ging in Neapel eine Straße entlang, als ein Schwein auf ihn fiel. Ein entsetzlicher Unfall. Anscheinend werden in den ärmeren Stadtteilen Neapels Schweine auf den Balkonen gehalten. Dieses eine war im fünften Stockwerk. Es war zu fett geworden. Der Balkon brach durch. Das Schwein fiel auf deinen Vater.»

Mr Wordsworth verließ eilig seinen Schreibtisch und ging zum Fenster, wobei er Jerome den Rücken zuwandte. Er zitterte ein wenig vor Erregung.

Jerome sagte: «Und was geschah mit dem Schwein?»

2

This was not callousness on the part of Jerome, as it was interpreted by Mr Wordsworth to his colleagues (he even discussed with them whether, perhaps, Jerome was yet fitted to be a warden). Jerome was only attempting to visualize the strange scene to get the details right. Nor was Jerome a boy who cried; he was a boy who brooded, and it never occurred to him at his preparatory school that the circumstances of his father's death were comic – they were still part of the mystery of life. It was later, in his first term at his public school, when he told the story to his best friend, that he began to realize how it affected others. Naturally after that disclosure he was known, rather unreasonably, as Pig.

Unfortunately his aunt had no sense of humour. There was an enlarged snapshot of his father on the piano; a large sad man in an unsuitable dark suit posed in Capri with an umbrella (to guard him against sunstroke), the Faraglione rocks forming the background. By the age of sixteen Jerome was well aware that the portrait looked more like the author of *Sunhine and Shade* and *Rambles in the Balearics* than an agent of the Secret Service. All the same he loved the memory of his father: he still possessed an album fitted with picture-postcards (the stamps had been soaked off long ago for his other collection), and it pained him when his aunt embarked with strangers on the story of his father's death.

"A shocking accident," she would begin, and the stranger would compose his or her features into the correct shape for interest and commiseration. Both reactions, of course, were false, but it was terrible for Jerome to see how suddenly, midway in her rambling discourse, the interest would become genuine. "I can't think how such things can be allowed in a civilized country," his aunt would say. "I suppose

Das war von seiten Jeromes nicht Gefühllosigkeit, wie Mr Wordsworth es seinen Kollegen gegenüber auslegte (er erörterte mit ihnen sogar, ob Jerome vielleicht noch als Ordner geeignet sei). Jerome versuchte nur, sich den seltsamen Vorgang bildhaft vorzustellen und die Einzelheiten richtig zu erfassen. Auch war Jerome kein Junge, der heulte; er war einer, der grübelte, und es kam ihm in seiner Vorbereitungsschule nie der Gedanke, daß die Umstände beim Tod seines Vaters komisch waren – sie bildeten noch immer einen Teil des Lebensgeheimnisses. Später, im ersten Trimester an seiner Privatschule, als er die Geschichte seinem besten Freund erzählte, begann er zu erkennen, wie sie auf andere wirkte. Natürlich war er nach dieser Enthüllung, in ziemlich unverschämter Weise, als *Schwein* bekannt.

Leider hatte seine Tante keinen Sinn für Humor. Auf dem Klavier stand ein vergrößerter Schnappschuß von seinem Vater: ein großer, trauriger Mann in unpassendem dunklen Anzug posierte in Capri mit einem Schirm (der ihn vor einem Sonnenstich bewahren sollte), wobei die Faraglione-Felsen den Hintergrund bildeten. Mit sechzehn war sich Jerome durchaus im klaren, daß das Bild mehr Ähnlichkeit mit dem Verfasser von *Sonnenschein und Schatten* und *Streifzüge auf den Balearen* aufwies als mit einem V-Mann des Geheimdienstes. Dennoch liebte er das Andenken an seinen Vater: er besaß noch immer ein Album mit Ansichtskarten (die Marken waren vor langer Zeit für seine andere Sammlung abgelöst worden), und es tat ihm weh, wenn seine Tante bei Fremden mit der Geschichte vom Tod seines Vaters anfing.

«Ein entsetzlicher Unfall», pflegte sie zu beginnen, und die fremde Person brachte dann die Gesichtszüge in die richtige Form, um Teilnahme und Mitleid auszudrücken. Natürlich waren beide Reaktionen falsch, doch es war schrecklich, wenn Jerome sah, wie plötzlich, mitten in ihrer weitschweifigen Darlegung, die Teilnahme echt wurde. «Ich kann mir nicht vorstellen, wie solche Dinge in einem Kulturland erlaubt werden können», sagte seine Tante gewöhnlich. «Ich nehme

one has to regard Italy as civilized. One is prepared for all kinds of things abroad, of course, and my brother was a great traveller. He always carried a water-filter with him. It was far less expensive, you know, than buying all those bottles of mineral water. My brother always said that his filter paid for his dinner wine. You can see from that what a careful man he was, but who could possibly have expected when he was walking along the Via Dottore Manuele Panucci on his way to the Hydrographic Museum that a pig would fall on him?" That was the moment when the interest became genuine.

Jerome's father had not been a very distinguished writer, but the time always seems to come, after an author's death, when somebody thinks it worth his while to write a letter to the *Times Literary Supplement* announcing the preparation of a biography and asking to see any letters or documents or receive any anecdotes from friends of the dead man. Most of the biographies, of course, never appear – one wonders whether the whole thing may not be an obscure form of blackmail and whether many a potential writer of a biography or thesis finds the means in this way to finish his education at Kansas or Nottingham. Jerome, however, as a chartered accountant, lived far from the literary world. He did not realize how small the menace really was, or that the danger period for someone of his father's obscurity had long passed. Sometimes he rehearsed the method of recounting his father's death so as to reduce the comic element to its smallest dimensions – it would be of no use to refuse information, for in that case the biographer would undoubtedly visit his aunt, who was living to a great old age with no sign of flagging.

It seemed to Jerome that there were two possible methods – the first led gently up to the accident, so that by the time it was described the listener was

an, daß man Italien als Kulturland betrachten muß. Im Ausland ist man selbstverständlich auf alles Mögliche gefaßt, und mein Bruder reiste viel. Er trug immer einen Wasserfilter bei sich. Wissen Sie, das war weniger kostspielig als all diese Flaschen Mineralwasser zu kaufen. Mein Bruder sagte immer, daß sein Filter ihm seinen Tischwein bezahle. Daraus können Sie sehen, was für ein vorsichtiger Mensch er war; doch wer hätte denn damit rechnen können, daß auf seinem Weg ins Hydrographische Museum, als er die Via Dottore Manuele Panucci entlang ging, ein Schwein auf ihn fallen würde?» Das war der Augenblick, in dem die Anteilnahme echt wurde.

Jeromes Vater war kein sehr bemerkenswerter Schriftsteller gewesen, doch die Zeit eines Autors scheint ja immer nach seinem Tod zu kommen, wenn jemand glaubt, daß es der Mühe wert sei, einen Brief an das *Times Literary Supplement* zu schreiben, in dem er die Vorbereitung einer Biographie ankündigt und darum bittet, Briefe oder amtliche Schriftstücke einsehen zu dürfen oder Anekdoten von Freunden des Toten zu erhalten. Die meisten der Biographien erscheinen natürlich nie – man fragt sich, ob das Ganze nicht vielleicht eine versteckte Form von Erpressung ist und ob so mancher denkbare Verfasser einer Biographie oder Dissertation auf diese Weise die Mittel findet, seine Ausbildung in Kansas oder Nottingham abzuschließen. Doch Jerome lebte als konzessionierter Buchprüfer weitab von der Welt der Literatur. Er erkannte nicht, wie klein die Gefahr in Wirklichkeit war, oder daß die Gefahrenperiode für jemand mit dem Unbekanntheitsgrad seines Vaters lang vorbei war. Manchmal übte er die Methode ein, den Tod seines Vaters so zu erzählen, daß das Komische daran so klein wie möglich gehalten wurde – es hätte keinen Zweck, Auskunft zu verweigern, denn in diesem Fall würde der Biograph zweifellos Jeromes Tante aufsuchen, die ohne ein Anzeichen nachlassender Kräfte ein sehr hohes Alter erreichte.

Für Jerome gab es zwei mögliche Verfahren. Das erste führte behutsam zum Unfall hin, damit der Zuhörer, wenn die eigentliche Schilderung erfolgte, so gut vorbereitet war,

so well prepared that the death came really as an anti-climax. The chief danger of laughter in such a story was always surprise. When he rehearsed this method Jerome began boringly enough.

"You know Naples and those high tenement buildings? Somebody once told me that the Neapolitan always feels at home in New York just as the man from Turin feels at home in London because the river runs in much the same way in both cities. Where was I? Oh, yes. Naples, of course. You'd be surprised in the poorer quarters what things they keep on the balconies of those sky-scraping tenements – not washing, you know, or bedding, but things like livestock, chickens or even pigs. Of course the pigs get no exercise whatever and fatten all the quicker." He could imagine how his hearer's eyes would have glazed by this time. "I've no idea, have you, how heavy a pig can be, but these old buildings are all badly in need of repair. A balcony on the fifth floor gave way under one of those pigs. It struck the third floor balcony on its way down and sort of ricochetted into the street. My father was on the way to the Hydrographic Museum when the pig hit him. Coming from that height and that angle it broke his neck." This was really a masterly attempt to make an intrinsically interesting subject boring.

The other method Jerome rehearsed had the virtue of brevity.

"My father was killed by a pig."

"Really? In India?"

"No, in Italy."

"How interesting. I never realized there was pig-sticking in Italy. Was your father keen on polo?"

In course of time, neither too early nor too late, rather as though, in his capacity as a chartered accountant, Jerome had studied the statistics and taken the average, he became engaged to be married:

daß der Tod wirklich wie ein Übergang vom Wichtigen zum weniger Wichtigen eintrat. Die Hauptgefahr, daß bei so einer Erzählung gelacht wurde, war ja die Überraschung. Wenn Jerome dieses Verfahren anwandte, begann er ganz langweilig. «Sie kennen doch Neapel und jene hohen Mietskasernen? Jemand hat mir einmal gesagt, daß sich der Neapolitaner stets in New York zu Hause fühlt, genau so wie der Turiner sich in London heimisch fühlt, weil in beiden Städten der Fluß in ziemlich gleicher Weise fließt. Wo war ich stehengeblieben? Ach ja. In Neapel, natürlich. Sie wären überrascht, was man alles in den ärmeren Vierteln auf den Balkonen dieser himmelhohen Mietskasernen hält – ich rede nicht von Wäsche oder Bettzeug, sondern von Sachen wie Vieh, Hühnern oder sogar Schweinen. Natürlich haben die Schweine keinerlei Auslauf und werden desto schneller fett.» Er konnte sich vorstellen, wie die Augen seines Zuhörers bis dahin glasig geworden wären. «Ich habe keine Ahnung, nicht wahr, wie schwer ein Schwein sein kann, doch diese alten Gebäude sind alle dringend reparaturbedürftig. Im fünften Stockwerk gab ein Balkon unter einem von diesen Schweinen nach. Er schlug auf dem Weg in die Tiefe am Balkon des dritten Stocks auf und prallte sozusagen zur Straße hin ab. Mein Vater war unterwegs ins Hydrographische Museum, als das Schwein ihn traf. Da es aus dieser Höhe und diesem Winkel gekommen war, brach es ihm das Genick.» Das war wirklich ein meisterlicher Versuch, einen eigentlich fesselnden Gegenstand langweilig zu gestalten.

Das andere Verfahren, das Jerome anwandte, besaß die Würze der Kürze.

«Mein Vater wurde von einem Schwein getötet.»

«Wirklich? In Indien?»

«Nein, in Italien.»

«Wie interessant. Ich hätte nie gedacht, daß man in Italien Schweine mit dem Spieß jagt. War Ihr Vater Polospieler?»

Im Laufe der Zeit, weder zu früh noch zu spät, eher so, als hätte Jerome in seiner Eigenschaft als konzessionierter Buchprüfer Statistik studiert und den Durchschnitt genommen, verlobte er sich, um zu heiraten: mit einem liebenswürdigen,

to a pleasant fresh-faced girl of twenty-five whose father was a doctor in Pinner. Her name was Sally, her favourite author was still Hugh Walpole, and she had adored babies ever since she had been given a doll at the age of five which moved its eyes and made water. Their relationship was contented rather than exciting, as became the love-affair of a chartered accountant; it would never have done if it had interfered with the figures.

One thought worried Jerome, however. Now that within a year he might himself become a father, his love for the dead man increased; he realized what affection had gone into the picture-postcards. He felt a longing to protect his memory, and uncertain whether this quiet love of his would survive if Sally were so insensitive as to laugh when she heard the story of his father's death. Inevitably she would hear it when Jerome brought her to dinner with his aunt. Several times he tried to tell her himself, as she was naturally anxious to know all she could that concerned him.

"You were very small when your father died?"
"Just nine."
"Poor little boy," she said.
"I was at school. They broke the news to me."
"Did you take it very hard?"
"I can't remember."
"You never told me how it happened."
"It was very sudden. A street accident."
"You'll never drive fast, will you, Jemmy?" (She had begun to call him "Jemmy".) It was too late then to try the second method – the one he thought of as the pig-sticking one.

They were going to marry quietly in a registry-office and have their honeymoon at Torquay. He avoided taking her to see his aunt until a week before the wedding, but then the night came and he could not have told himself whether his appre-

frisch aussehenden fünfundzwanzigjährigen Mädchen, dessen Vater Arzt in Pinner war. Sie hieß Sally, ihr Lieblingsautor war noch immer Hugh Walpole, und sie war in Säuglinge vernarrt, seit sie mit fünf Jahren eine Puppe erhalten hatte, die die Augen bewegte und Bächlein machte. Ihre Beziehung zueinander war eher von Zufriedenheit als von Leidenschaft geprägt, wie es sich für die Liebesbeziehung eines konzessionierten Buchhalters gehörte; sie wäre nie geglückt, wenn sie mit den Zahlen in Konflikt geraten wäre.

Ein Gedanke jedoch quälte Jerome. Jetzt, da er innerhalb eines Jahres selbst Vater werden könnte, wurde seine Liebe zu dem Toten noch größer; er erkannte, welche Zuneigung in die Ansichtskarten geflossen war. Er empfand eine Sehnsucht danach, des Vaters Andenken zu schützen und war sich nicht sicher, ob diese ruhige Liebe fortdauern würde, wäre Sally so gefühllos, daß sie lachte, wenn sie die Geschichte vom Tod seines Vaters hörte. Und Sally bekäme sie unweigerlich zu hören, wenn Jerome seine Braut zum Essen bei seiner Tante mitnahm. Mehrere Male versuchte er, ihr selber davon zu erzählen, da sie natürlich erpicht war, alles, was sie konnte, zu erfahren, soweit es ihn betraf.

«Du warst sehr klein, als dein Vater starb?»

«Gerade neun.»

«Armer kleiner Junge», sagte sie.

«Ich war in der Schule. Man hat es mir schonend gesagt.»

«Hat es dich sehr hart getroffen?»

«Ich kann mich nicht erinnern.»

«Du hast mir nie erzählt, wie es sich zutrug.»

«Es ging sehr schnell. Ein Verkehrsunfall.»

«Du wirst nie schnell fahren, Jemmy, ja?» (Sie hatte begonnen, ihn «Jemmy» zu nennen.) Es war dann zu spät, die zweite Methode zu wählen – diejenige, die er bei sich die Sauhatz-Methode nannte.

Sie schickten sich an, in aller Stille auf einem Standesamt zu heiraten und ihre Flitterwochen in Torquay zu verbringen. Bis zu einer Woche vor der Hochzeit vermied er es, sie zu seiner Tante mitzunehmen, doch dann kam der Abend, und er hätte selbst nicht sagen können, ob seine Befürchtung

hension was more for his father's memory or the security of his own love.

The moment came all too soon. "Is that Jemmy's father?" Sally asked, picking up the portrait of the man with the umbrella.

"Yes, dear. How did you guess?"

"He has Jemmy's eyes and brow, hasn't he?"

"Has Jerome lent you his books?"

"No."

"I will give you a set for your wedding. He wrote so tenderly about his travels. My own favourite is *Nooks and Crannies*. He would have had a great future. It made that shocking accident all the worse."

"Yes?"

Jerome longed to leave the room and not see that loved face crinkle with irresistible amusement.

"I had so many letters from his readers after the pig fell on him." She had never been so abrupt before.

And then the miracle happened. Sally did not laugh. Sally sat with open eyes of horror while his aunt told her the story, and at the end, "How horrible," Sally said. "It makes you think, doesn't it? Happening like that. Out of a clear sky."

Jerome's heart sang with joy. It was as though she had appeased his fear for ever. In the taxi going home he kissed her with more passion than he had ever shown and she returned it. There were babies in her pale blue pupils, babies that rolled their eyes and made water.

"A week today," Jerome said, and she squeezed his hand. "Penny for your thoughts, my darling."

"I was wondering," Sally said, "what happened to the poor pig?"

"They almost certainly had it for dinner," Jerome said happily and kissed the dear child again.

mehr dem Andenken seines Vaters galt oder der Sicherung seiner eigenen Liebe.

Der kritische Augenblick kam nur zu bald. «Ist das Jemmys Vater?» fragte Sally, als sie das Bild des Mannes mit dem Schirm entdeckte.

«Ja, meine Liebe. Wie haben Sie es erraten?»

«Er hat Jemmys Augen und Stirn, nicht wahr?»

«Hat Jerome Ihnen seine Bücher geliehen?»

«Nein.»

«Ich schenke Ihnen zur Hochzeit eine Ausgabe. Er schrieb so einfühlsam über Reisen. Mein eigenes Lieblingsbuch ist *Verstecke und Schlupfwinkel*. Er hätte eine große Zukunft gehabt. Das machte das entsetzliche Unglück so schlimm.»

«Ja?»

Jerome wäre am liebsten aus dem Zimmer gegangen, um nicht zu sehen, wie das geliebte Antlitz sich in unwidersteh-licher Lachlust verzog.

«Ich bekam so viele Briefe von seinen Lesern, nachdem das Schwein auf ihn gefallen war.» Noch nie hatte die Tante sich so kurz und bündig gefaßt.

Und dann geschah das Wunder. Sally lachte nicht. Sie saß mit offenen schreckerfüllten Augen da, während seine Tante ihr die Geschichte erzählte, und zum Schluß sagte Sally: «Wie fürchterlich! Es stimmt einen nachdenklich, nicht wahr? Daß so etwas geschieht. Ganz unvermittelt.»

Jeromes Herz sang vor Freude. Es war, als hätte sie seine Befürchtung für immer beschwichtigt. Auf der Fahrt nach Hause im Taxi küßte er sie mit mehr Leidenschaft, als er je gezeigt hatte, und sie erwiderte diese Leidenschaft. In ihren blaßblauen Augen waren Babies – Babies, die die Augen roll-ten und Bächlein machten.

«Heute in einer Woche», sagte Jerome, und sie drückte sei-ne Hand. «Ich wüßte gern, woran du gedacht hast, Liebling.»

«Ich habe mich gefragt», sagte Sally, «was wohl mit dem armen Schwein geschah.»

«Es ist fast sicher, daß sie es aufgegessen haben», sagte Jerome glücklich und küßte das liebe Kind von neuem.

The Chief Engineer and the Third sat at tea on the SS *Curlew* in the East India Docks. The small and not over-clean steward having placed everything he could think of upon the table, and then added everything the Chief could think of, had assiduously poured out two cups of tea and withdrawn by request.

The two men ate steadily, conversing between bites, and interrupted occasionally by a hoarse and sepulchral voice, the owner of which, being much exercised by the sight of the food, asked for it, prettily at first, and afterwards in a way which at least compelled attention.

"That's pretty good for a parrot," said the Third critically. "Seems to know what he's saying too. No, don't give it anything. It'll stop if you do."

"There's no pleasure to *me* in listening to coarse language," said the Chief with dignity.

He absently dipped a piece of bread-and-butter in the Third's tea, and losing it chased it round and round the bottom of the cup with his finger, the Third regarding the operation with an interest and emotion which he was at first unable to understand.

"You'd better pour yourself out another cup," he said thoughtfully as he caught the Third's eye.

"I'm going to," said the other dryly.

"The man I bought it of," said the Chief, giving the bird the sop, "said that it was a perfectly respectable parrot and wouldn't know a bad word if it heard it. I hardly like to give it to my wife now."

"It's no good being too particular," said the Third, regarding him with an ill-concealed grin; "that's the worst of all you young married fellows. Seem to think your wife has got to be wrapped up in brown paper. Ten chances to one she'll be amused."

W. W. Jacobs: Der graue Papagei

Der Oberingenieur und der Dritte Offizier saßen beim Tee auf dem Dampfer *Curlew* in den Docks der Ostindien-Gesellschaft. Nachdem der kleine und nicht übermäßig saubere Steward alles, was ihm einfiel, auf den Tisch gestellt hatte und dann noch alles dazugab, was dem Oberingenieur einfiel, schenkte er dienstbeflissen zwei Tassen Tee ein und zog sich dann wunschgemäß zurück. Die zwei Männer aßen fortwährend, unterhielten sich zwischen ein paar Bissen und wurden gelegentlich von einer heiseren Grabesstimme unterbrochen, die zu jemandem gehörte, der um etwas zu essen bat, da er darin beim Anblick von Speisen viel Übung hatte. Die Stimme bat zuerst in netter Form und danach in einer Art, die denn doch etwas befremdlich war.

«Das ist ziemlich gut für einen Papagei», sagte der Dritte Offizier kritisch. «Scheint auch zu wissen, was er sagt. Nein, gib ihm nichts! Er hört auf, wenn man ihm nichts gibt.»

«Für *mich* ist es kein Vergnügen, mir derbe Sprache anzuhören», sagte der Oberingenieur mit Würde.

Zerstreut tauchte er ein Stück Butterbrot in den Tee des Dritten, und da er es verlor, suchte er es mit dem Finger rundherum auf dem Grund der Tasse, während der Dritte den Vorgang mit einer Aufmerksamkeit und Gemütsbewegung betrachtete, die er sich zunächst nicht erklären konnte.

«Schenk dir lieber eine andere Tasse ein», sagte er nachdenklich, als er den Blick des Dritten Offiziers bemerkte.

«Das werde ich gleich tun», sagte der andere trocken.

«Der Mann, von dem ich ihn gekauft habe», sagte der Oberingenieur, während er dem Vogel den eingetunkten Brocken gab, «sagte, es sei ein ganz beachtlicher Papagei, der kein übles Wort zur Kenntnis nähme, wenn er es hörte. Jetzt mag ich ihn meiner Frau eigentlich nicht geben.»

«Man muß nicht allzu bedenklich sein», sagte der Dritte und sah ihn mit kaum verhaltenem Grinsen an. «Das ist das Verkehrteste bei all euch Jungverheirateten. Ihr meint, eure Frau müsse in Packpapier gewickelt werden. Die Wahrscheinlichkeit, daß sie ihren Spaß haben wird, steht zehn zu eins.»

The Chief shrugged his shoulders disdainfully. "I bought the bird to be company for her," he said slowly; "she'll be very lonesome without me, Rogers."

"How do you know?" enquired the other.

"She said so," was the reply.

" When you've been married as long as I have," said the Third, who having been married some fifteen years felt that their usual positions were somewhat reversed, "you'll know that generally speaking they're glad to get rid of you."

"What for?" demanded the Chief in a voice that Othello might have envied.

"Well, you get in the way a bit," said Rogers with secret enjoyment; "you see, you upset the arrangements. House-cleaning and all that sort of thing gets interrupted. They're glad to see you back at first, and then glad to see the back of you.

"There's wives and wives," said the bridegroom tenderly.

"And mine's a good one," said the Third, "registered A1 at Lloyd's, but she don't worry about me going away. Your wife's thirty years younger than you, isn't she?"

"Twenty-five," corrected the other shortly. "You see, what I'm afraid of is that she'll get too much attention."

"Well, women like that," remarked the Third.

"But I don't, damn it!" cried the Chief hotly. "When I think of it I get hot all over. Boiling hot."

"That won't last," said the other reassuringly; "you won't care twopence this time next year."

"We're not all alike," growled the Chief; "some of us have got finer feelings than others have. I saw the chap next door looking at her as we passed him this morning."

120
121

"Lor'," said the Third.

"I don't want any of your damned impudence,"

Der Oberingenieur zuckte verächtlich mit den Schultern. «Ich habe den Vogel gekauft, damit sie Gesellschaft hat», sagte er langsam; «sie wird ohne mich sehr einsam sein, Rogers.»

«Woher weißt du das?» erkundigte sich der andere.

«Sie hat es mir gesagt», war die Antwort.

«Wenn du so lange verheiratet bist wie ich», sagte der Dritte, der schon etwa fünfzehn Jahre verheiratet war und spürte, daß ihre alltäglichen Standpunkte ein wenig entgegengesetzt waren, «dann wirst du wissen, daß sie in der Regel froh sind, einen loszuwerden.»

«Weshalb?» fragte der Oberingenieur mit einer Stimme, um die ihn Othello hätte beneiden mögen.

«Nun, man wird ein bißchen hinderlich», sagte Rogers mit geheimem Vergnügen. «Man bringt die Vorkehrungen durcheinander, verstehst du. Der Hausputz und all dergleichen wird gestört. Sie freuen sich erst, wenn sie uns zurück haben und freuen sich dann, wenn sie uns ziehen sehen.»

«Es gibt solche Frauen und solche», sagte der Bräutigam zärtlich.

«Die meine ist eine gute», sagte der Dritte, «bei Lloyd's erstklassig versichert, doch sie sorgt sich nicht, wenn ich wegfahre. Deine Frau ist dreißig Jahre jünger, nicht wahr?»

«Fünfundzwanzig», verbesserte der andere barsch. «Was ich ja befürchte, ist, daß ihr zuviel Aufmerksamkeit entgegengebracht wird.»

«Nun, Frauen mögen das gern», bemerkte der Dritte.

«Aber ich nicht, verdammt nochmal!» rief der Oberingenieur aufgebracht. «Wenn ich daran denke, werde ich richtig wild, fuchsteufelswild.»

«Das hält nicht an», sagte der andere beschwichtigend; «heute in einem Jahr wird dir das völlig schnuppe sein.»

«Wir sind nicht alle gleich», knurrte der Oberingenieur; «einige von uns haben zartere Gefühle als andere. Ich habe gesehen, wie der Kerl von nebenan sie anblickte, als wir heute früh an ihm vorbeigingen.»

«Mein Gott!» sagte der Dritte.

«Ich mag deine Anzüglichkeiten nicht», sagte der Ober-

said the Chief sharply. "He put his hat on straighter when he passed us. What do you think of that?"

"Can't say, " replied the other with commendable gravity; "it might mean anything."

"If he has any of his nonsense while I'm away I'll break his neck," said the Chief passionately. "I shall know it."

The other raised his eyebrows.

"I've asked the landlady to keep her eyes open a bit," said the Chief. "My wife was brought up in the country, and she's very young and simple, so that it is quite right and proper for her to have a motherly old body to look after her."

"Told your wife?" queried Rogers.

"No," said the other. "Fact is, I've got an idea about that parrot. I'm going to tell her it's a magic bird, and will tell me everything she does while I'm away. Anything the landlady tells me I shall tell her I got from the parrot. For one thing, I don't want her to go out after seven of an evening, and she's promised me she won't. If she does I shall know, and pretend that I know through the parrot. What do you think of it?"

"Think of it?" said the Third, staring at him. "Think of it? Fancy a man telling a grown-up woman a yarn like that!"

"She believes in warnings and death-watches, and all that sort of thing," said the Chief, "so why shouldn't she?"

"Well, you'll know whether she believes in it or not when you come back," said Rogers, "and it'll be a great pity, because it's a beautiful talker."

"What do you mean?" said the other.

"I mean it'll get its little neck wrung," said the Third.

"Well, we'll see," said Gannett. "I shall know what to think if it does die."

"I shall never see that bird again," said Rogers,

ingenieur scharf. «Er rückte seinen Hut etwas gerader, als er an uns vorbeiging. Was denkst du darüber?»

«Kann ich nicht sagen», erwiderte der andere mit löblichem Ernst; «es könnte alles Mögliche bedeuten.»

«Wenn er irgendeinen Blödsinn treibt, während ich fort bin, breche ich ihm das Genick», sagte der Oberingenieur leidenschaftlich. «Ich werde es erfahren.»

Der andere hob die Augenbrauen.

«Ich habe die Hauswirtin gebeten, die Augen ein wenig offen zu halten», sagte der Oberingenieur. «Meine Frau ist auf dem Land aufgewachsen, und sie ist sehr jung und naiv, so daß es ganz angemessen und schicklich ist, eine mütterliche Person zu haben, die auf sie achtet.»

«Hast du deiner Frau Bescheid gesagt?» fragte Rogers.

«Nein», antwortete der andere. «Tatsache ist, daß mir zu diesem Papagei etwas eingefallen ist. Ich werde ihr erzählen, daß er ein Zaubervogel ist und mir alles berichten wird, was sie während meiner Abwesenheit tut. Alles, was mir die Hauswirtin erzählt, habe ich vom Papagei, werde ich ihr sagen. Vor allem möchte ich nicht, daß sie nach sieben Uhr abends ausgeht, und sie hat mir versprochen, es nicht zu tun. Tut sie es dennoch, werde ich es erfahren und behaupten, ich hätte es vom Papagei. Was hältst du davon?»

«Was ich davon halte?» sagte der Dritte und starrte ihn an. «Was ich davon halte? Wenn ich mir vorstelle, daß ein Mann einer erwachsenen Frau ein solches Garn erzählt!»

«Sie glaubt an Vorzeichen und Totenuhren und all dergleichen», sagte der Oberingenieur, «warum sollte sie also nicht daran glauben?»

«Na, du wirst ja erfahren, ob sie daran glaubt oder nicht, wenn du zurückkommst», sagte Rogers, «und es wird sehr schade sein, weil der Papagei so ein schöner Plauderer ist.»

«Was meinst du damit?» fragte der andere.

«Ich meine, daß ihm sein kleiner Kragen umgedreht wird», antwortete der Dritte.

«Nun, wir werden ja sehen», sagte Gannett. «Ich weiß, was ich zu denken habe, wenn er tatsächlich stirbt.»

«Ich werde diesen Vogel nie wieder sehen», sagte Rogers

shaking his head as the Chief took up the cage and handed it to the steward, who was to accompany him home with it.

The couple left the ship and proceeded down the East India Dock Road side by side, the only incident being a hot argument between a constable and the engineer as to whether he could or could not be held responsible for the language in which the parrot saw fit to indulge when the steward happened to drop it.

The engineer took the cage at his door, and, not without some misgivings, took it upstairs into the parlour and set it on the table. Mrs Gannett, a simple-looking woman, with sleepy brown eyes and a docile manner, clapped her hands with joy.

"Isn't it a beauty?" said Mr Gannett, looking at it. "I bought it to be company for you while I'm away."

"You're too good to me, Jem," said his wife. She walked all round the cage admiring it, the parrot, which was of a highly suspicious and nervous disposition, having had boys at its last place, turning with her. After she had walked round him five times he got sick of it, and in a simple sailorly fashion said so.

"Oh, Jem!" said his wife.

"It's a beautiful talker," said Gannett hastily, "and it's so clever that it picks up everything it hears, but it'll soon forget it."

"It looks as though it knows what you are saying," said his wife. "Just look at it, the artful thing."

The opportunity was too good to be missed, and in a few straightforward lies the engineer acquainted Mrs Gannett of the miraculous powers with which he had chosen to endow it.

"But you don't believe it?" said his wife, staring at him open-mouthed.

und schüttelte den Kopf, als der Oberingenieur den Käfig nahm und ihn dem Steward reichte, der ihn damit nach Hause begleiten sollte.

Die beiden verließen das Schiff und gingen auf der Straße entlang den Docks der Ostindien-Gesellschaft nebeneinander her. Der einzige Vorfall, der sich ereignete, als der Steward den Papagei zufällig fallen ließ, war eine heftige Auseinandersetzung zwischen einem Polizisten und dem Ingenieur über die Frage, ob dieser für die Sprache, in der sich der Papagei auszulassen beliebte, verantwortlich sei oder nicht.

Der Ingenieur übernahm an seiner Wohnungstür den Käfig, trug ihn, nicht ohne böse Ahnungen, hinauf ins Wohnzimmer und stellte ihn auf den Tisch. Mrs Gannett, eine schlicht aussehende Frau mit verschlafenen braunen Augen und artigem Benehmen, klatschte vor Freude in die Hände.

«Ist er nicht ein schönes Tier?» sagte Mr Gannett und schaute ihn an. «Ich habe ihn gekauft, damit er dir Gesellschaft leistet, während ich weg bin.»

«Du bist zu gut zu mir, Jem», sagte seine Frau. Sie ging ganz um den Käfig herum und bewunderte ihn, wobei der Papagei, der in höchst argwöhnischer und gereizter Stimmung war, da an seinem vorigen Platz junge Burschen gewesen waren, sich mit Blick auf sie umdrehte. Nachdem sie fünfmal um den Vogel herumgegangen war, hatte er es satt und sagte das in schlichten Seemannsausdrücken.

«Oh, Jem!» sagte die Frau.

«Er ist ein bewundernswerter Plauderer», beeilte sich Gannett zu antworten, «und er ist so klug, daß er alles aufschnappt, was er hört, doch er wird es bald vergessen.»

«Er sieht aus, als verstünde er, was du gerade sagst», bemerkte seine Frau. «Schau es bloß an, das verschlagene Biest!»

Die Gelegenheit war zu günstig, um sie sich entgehen zu lassen, und in ein paar einfachen Lügen berichtete der Ingenieur seiner Frau von den wundersamen Kräften, mit denen er den Papagei auszustatten beliebt hatte.

«Aber du glaubst doch nicht daran?» sagte seine Frau und starrte ihn mit offenem Mund an.

"I do," said the engineer firmly.

"But how can it know what I'm doing when I'm away?" persisted Mrs Gannett.

"Ah, that's its secret," said the engineer; "a good many people would like to know that, but nobody has found out yet. It's a magic bird, and when you've said that you've said all there is to say about it."

Mrs Gannett, wrinkling her forehead, eyed the marvellous bird curiously.

"You'll find it's quite true," said Gannett; "when I come back that bird'll be able to tell me how you've been and all about you. Everything you've done during my absence.

"Good gracious!" said the astonished Mrs Gannett.

"If you stay out after seven of an evening, or do anything else that I shouldn't like, that bird'll tell me," continued the engineer impressively. "It'll tell me who comes to see you, and in fact it will tell me everything you do while I'm away."

"Well, it won't have anything bad to tell of me," said Mrs Gannett composedly, "unless it tells lies."

"It can't tell lies," said her husband confidently; "and now, if you go and put your bonnet on, we'll drop in at the theatre for half an hour."

It was a prophetic utterance, for he made such a fuss over the man next to his wife offering her his opera-glasses that they left, at the urgent request of the management, in almost exactly that space of time.

"You'd better carry me about in a bandbox," said Mrs Gannett wearily as the outraged engineer stalked home beside her. "What harm was the man doing?"

"You must have given him some encouragement," said Mr Gannett fiercely – "made eyes at him or something. A man wouldn't offer to lend a lady his opera-glasses without."

«Ich glaube daran», sagte der Ingenieur nachdrücklich.

«Doch wie kann er wissen, was ich tue, wenn ich weg bin?» fragte sie hartnäckig weiter.

«Oh, das ist sein Geheimnis», antwortete der Ingenieur, «das möchten sehr viele Leute wissen, aber es ist noch niemand dahintergekommen. Er ist ein Zaubervogel – wenn man das sagt, ist alles gesagt, was es zu sagen gibt.»

Mrs Gannett runzelte die Stirn und beäugte den Wundervogel neugierig.

«Du wirst merken, daß es durchaus zutrifft», sagte Gannett; «wenn ich zurückkomme, wird mir dieser Vogel alles über dich erzählen können und wie es dir ergangen ist. Alles, was du während meiner Abwesenheit getan hast.»

«Ach, du meine Güte!» sagte Mrs Gannett höchst erstaunt.

«Wenn du eines Abends nach sieben Uhr aus bist oder sonst etwas tust, was ich nicht gern hätte, wird es mir dieser Vogel berichten», fuhr der Ingenieur mit Nachdruck fort. «Er wird mir erzählen, wer dich besucht und wird mir wirklich alles sagen, was du tust, während ich fort bin.»

«Nun, er wird von mir nichts Schlechtes sagen können», sagte Mrs Gannett gefaßt, «außer er lügt.»

«Er kann nicht lügen», sagte ihr Gatte mit Überzeugung; «und wenn du jetzt deinen Hut aufsetzt, werden wir rasch auf eine halbe Stunde ins Theater gehen.»

Das war eine ahnungsvolle Äußerung, denn er machte so viel Aufhebens um den neben seiner Frau sitzenden Mann, der ihr sein Opernglas anbot, daß sie in fast genau dieser Zeit auf dringendes Ersuchen der Theaterleitung das Haus verließen.

«Du tätest besser daran, mich in einer Hutschachtel herumzutragen», sagte Mrs Gannett verdrießlich, während der schwer beleidigte Ingenieur neben ihr nach Hause schritt. «Was hat denn der Mann Böses getan?»

«Du mußt ihn irgendwie ermutigt haben», sagte Mr Gannett wütend – «ihm Augen gemacht haben oder irgendwas. Ohne dergleichen würde ein Mann sich nicht erbieten, einer Dame sein Opernglas zu leihen.»

Mrs Gannett tossed her head – and that so decidedly, that a passing stranger turned his head and looked at her. Mr Gannett accelerated his pace, and, taking his wife's arm, led her swiftly home with a passion too great for words.

By the morning his anger had evaporated, but his misgivings remained. He left after breakfast for the *Curlew*, which was to sail in the afternoon, leaving behind him copious instructions by following which his wife would be enabled to come down and see him off with the minimum exposure of her fatal charms.

Left to herself Mrs Gannett dusted the room, until, coming to the parrot's cage, she put down the duster and eyed its eerie occupant curiously. She fancied that she saw an evil glitter in the creature's eye, and the knowing way in which it drew the film over it was as near an approach to a wink as a bird could get.

She was still looking at it when there was a knock at the door, and a bright little woman – rather smartly dressed – bustled into the room and greeted her effusively.

"I just came to see you, my dear, because I thought a little outing would do me good," she said briskly; "and if you've no objection I'll come down to the docks with you to see the boat off."

Mrs Gannett assented readily. It would ease the engineer's mind, she thought, if he saw her with a chaperon.

"Nice bird," said Mrs Cluffins, mechanically bringing her parasol to the charge.

"Don't do that," said her friend hastily.

"Why not?' said the other.

"Language!" said Mrs Gannett solemnly.

"Well, I must do something to it," said Mrs Cluffins restlessly.

She held the parasol near the cage and suddenly

Mrs Gannett schüttelte den Kopf – so entschieden, daß ein vorübergehender Fremder sich umsah und sie anblickte. Mr Gannett beschleunigte seinen Schritt, nahm seine Frau am Arm und führte sie rasch nach Hause, mit einer Leidenschaft, die gar nicht zu beschreiben ist.

Bis zum Morgen war sein Zorn verraucht, doch seine Befürchtungen blieben. Nach dem Frühstück brach er zur *Curlew* auf, die am Nachmittag auslaufen sollte. Er ließ umfassende Anweisungen zurück, deren Befolgung es seiner Frau ermöglichen würde, zum Schiff zu kommen und ihn zu verabschieden, aber dabei von ihren gefährlichen Reizen möglichst wenig zur Schau zu stellen.

Als sie allein war, staubte Mrs Gannett das Zimmer ab, bis sie, als sie an den Käfig des Papageis kam, den Staubwedel absetzte und den unheimlichen Käfigbewohner neugierig beäugte. Sie bildete sich ein, ein böses Glitzern im Auge des Tieres zu sehen, und die wissende Art, wie der Papagei den Blick verschleierte, kam einem Zwinkern so nahe, wie es einem Vogel nur möglich war.

Mrs Gannett schaute ihn noch immer an, als es klopfte und eine strahlende kleine Frau – ziemlich schick gekleidet – ins Zimmer gestürmt kam und sie mit großem Überschwang begrüßte.

«Ich bin bloß gekommen, Liebe, weil ich fand, ein kleiner Bummel würde mir gut tun», sagte sie lebhaft; «wenn du nichts dagegen hast, gehe ich mit dir zu den Docks hinunter, um beim Auslaufen des Schiffes dort zu sein.»

Mrs Gannett stimmte bereitwillig zu. Es würde, dachte sie, das Herz des Ingenieurs erleichtern, wenn er sie in Begleitung einer Anstandsdame sähe.

«Netter Vogel», sagte Mrs Cluffins und brachte unwillkürlich ihren Sonnenschirm in Angriffsstellung.

«Tu das nicht!» sagte ihre Freundin eilfertig.

«Warum nicht?» fragte die andere.

«Er kann sprechen!» sagte Mrs Gannett feierlich.

«Nun, ich muß ihm etwas antun», sagte Mrs Cluffins fahrig.

Sie hielt den Schirm an den Käfig und spannte ihn plötz-

opened it. It was flaming scarlet, and for the moment the shock took the parrot's breath away.

"He don't mind that," said Mrs Gannett.

The parrot, hopping to the farthest corner of the bottom of his cage, said something feebly. Finding that nothing dreadful happened, he repeated his remark somewhat more boldly, and, being convinced after all that the apparition was quite harmless and that he had displayed his craven spirit for nothing, hopped back on his perch and raved wickedly.

"If that was my bird," said Mrs Cluffins, almost as scarlet as her parasol, "I should wring its neck."

"No, you wouldn't," said Mrs Gannett solemnly. And having quieted the bird by throwing a cloth over its cage, she explained its properties.

"What!" said Mrs Cluffins, unable to sit still in her chair. "You mean to tell me your husband said that!"

Mrs Gannett nodded.

"He's awfully jealous of me," she said with a slight simper.

"I wish he was my husband," said Mrs Cluffins, in a thin, hard voice. "I wish C. would talk to *me* like that. I wish somebody would try and persuade C. to talk to me like that."

"It shows he's fond of me," said Mrs Gannett, looking down.

Mrs Cluffins jumped up, and snatching the cover off the cage, endeavoured, but in vain, to get the parasol through the bars.

"And you believe that rubbish!" she said scathingly. "Boo, you wretch!"

"I don't believe it," said her friend, taking her gently away and covering the cage hastily just as the bird was recovering, "but I let him think I do."

"I call it an outrage," said Mrs Cluffins, waving the parasol wildly. "I never heard of such a thing; I'd like to give Mr Gannett a piece of my mind.

lich auf. Er war leuchtend scharlachrot, und einen Augenblick lang blieb dem Papagei vor Schreck die Puste weg.

«Er läßt sich dadurch nicht stören», sagte Mrs Gannett.

Der Papagei, der in die fernste Ecke des Käfigbodens hüpfte, sagte etwas mit schwacher Stimme. Da er merkte, daß nichts Schreckliches erfolgte, wiederholte er seine Bemerkung etwas mutiger, und als er schließlich überzeugt war, daß die Erscheinung ganz harmlos war, und daß er sein ängstliches Gemüt umsonst zu erkennen gegeben hatte, hüpfte er auf seine Stange zurück und schimpfte unflätig.

«Wenn das mein Vogel wäre», sagte Mrs Cluffins, fast so rot wie ihr Schirm, «würde ich ihm den Kragen umdrehen.»

«Nein, das würdest du nicht», sagte Mrs Gannett feierlich. Und nachdem sie den Vogel beruhigt hatte, indem sie ein Tuch über den Käfig warf, erklärte sie seine Eigenschaften.

«Was!» sagte Mrs Cluffins, die auf ihrem Stuhl nicht stillsitzen konnte. «Du willst mir erzählen, daß dein Gatte das gesagt hat!»

Mrs Gannett nickte.

«Er ist schrecklich besorgt um mich», sagte sie mit etwas einfältigem Lächeln.

«Ich wünschte, er wäre mein Mann», sagte Mrs Cluffins mit dünner, harter Stimme. «Ich wünschte, C. würde so mit *mir* reden. Ich wünschte, jemand würde C. zu überreden versuchen, so mit mir zu sprechen.»

«Es zeigt, daß er völlig vernarrt in mich ist», sagte Mrs Gannett mit gesenktem Blick.

Mrs Cluffins sprang auf, riß das Tuch vom Käfig und bemühte sich, allerdings vergeblich, den Schirm durch die Gitterstäbe zu bekommen.

«Und du glaubst an diesen Blödsinn!» sagte sie beißend. «Huh, du Bedauernswerte!»

«Ich nicht», sagte ihre Freundin, führte sie sachte weg und deckte den Käfig eilig zu, gerade, als der Vogel sich erholte; «doch ich lasse meinen Mann im Glauben, ich glaubte dran.»

«Ich nenne es eine Schande», sagte Mrs Cluffins und schüttelte den Schirm. «So etwas habe ich noch nie gehört; ich wollte Mr Gannett mal meine Meinung sagen. Bloß

Just about half an hour of it. He wouldn't be the same man afterwards – I'd parrot him!"

Mrs Gannett, soothing her agitated friend as well as she was able, led her gently to a chair and removed her bonnet, and finding that complete recovery was impossible while the parrot remained in the room, took that wonder-working bird outside.

By the time they had reached the docks and boarded the *Curlew* Mrs Cluffins had quite recovered her spirits. She roamed about the steamer asking questions, which savoured more of idle curiosity than a genuine thirst for knowledge, and was at no pains to conceal her opinion of those who were unable to furnish her with satisfactory replies.

"I shall think of you every day, Jem," said Mrs Gannett tenderly.

"I shall think of you every minute," said the engineer reproachfully.

He sighed gently and gazed in a scandalized fashion at Mrs Cluffins, who was carrying on a desperate flirtation with one of the apprentices.

"She's very light-hearted," said his wife, following the direction of his eyes.

"She is," said Mr Gannett curtly, as the unconscious Mrs Cluffins shut her parasol and rapped the apprentice playfully with the handle. "She seems to be on very good terms with Jenkins, laughing and carrying on. I don't suppose she's ever seen him before."

"Poor young things," said Mrs Cluffins solemnly, as she came up to them.

"Don't you worry, Mr Gannett; I'll look after her and keep her from moping."

"You're very kind," said the engineer slowly.

"We'll have a jolly time," said Mrs Cluffins. "I often wish my husband was a seafaring man. A wife does have more freedom, doesn't she?"

"More what?" enquired Mr Gannett huskily.

eine halbe Stunde lang. Er wäre hinterher nicht mehr der gleiche Mensch – er würde mir brav nachplappern!»

Mrs Gannett, die ihre erregte Freundin beschwichtigte so gut sie konnte, geleitete sie behutsam zu einem Stuhl und nahm ihr den Hut ab, und da sie merkte, daß eine vollständige Beruhigung unmöglich war, solange der Papagei im Zimmer verblieb, trug sie den wundertätigen Vogel hinaus.

Bis sie die Docks erreicht hatten und an Bord der *Curlew* waren, hatte Mrs Cluffins ihre seelisch-geistige Kraft wieder völlig erlangt. Sie bummelte auf dem Dampfer herum, stellte Fragen, die mehr nach bloßer Neugier als nach echtem Wissensdurst rochen und gab sich keine Mühe, ihre Meinung über diejenigen zu verbergen, die nicht imstande waren, sie mit zufriedenstellenden Antworten zu versorgen.

«Ich werde jeden Tag an dich denken, Jem», sagte Mrs Gannett zärtlich.

«Ich werde jede Minute an dich denken», sagte der Ingenieur vorwurfsvoll.

Er seufzte leise und starrte empört auf Mrs Cluffins, die mit einem der Seekadetten einen verwegenen Flirt begonnen hatte.

«Sie ist sehr unbekümmert», sagte seine Frau, die der Richtung seiner Augen folgte.

«Das ist sie», sagte Mr Gannett kurz, als die ahnungslose Mrs Cluffins ihren Schirm zumachte und dem Matrosen im Scherz mit dem Griff einen Klaps gab. «Sie scheint mit Jenkins auf sehr gutem Fuß zu stehen, weil sie lacht und weiterflirtet. Ich glaube nicht, daß sie ihn je zuvor gesehen hat.»

«Arme junge Dinger», sagte Mrs Cluffins feierlich, als sie auf die beiden zukam.

«Machen Sie sich keine Sorgen, Mr Gannett; ich werde mich um sie kümmern und sie davor bewahren, daß sie Trübsal bläst.»

«Sie sind sehr gütig», sagte der Ingenieur langsam.

«Wir werden eine lustige Zeit haben», sagte Mrs Cluffins. «Ich wünsche mir oft, mein Gatte wäre ein Seefahrer. Da hat eine Frau mehr Freiheit, stimmt's?»

«Mehr was?» fragte Mr Gannett mit belegter Stimme.

"More freedom," said Mrs Cluffins gravely. "I always envy sailors' wives. They can do as they like. No husband to look after them for nine or ten months in the year."

Before the unhappy engineer could put his indignant thoughts into words there was a warning cry from the gangway, and with a hasty farewell he hurried below. The visitors went ashore, the gangway was shipped, and in response to the clang of the telegraph the *Curlew* drifted slowly away from the quay and headed for the swing bridge slowly opening in front of her.

The two ladies hurried to the pier-head and watched the steamer down the river until a bend hid it from view. Then Mrs Gannett, with a sensation of having lost something, due, so her friend assured her, to the want of a cup of tea, went slowly back to her lonely home.

In the period of grass widowhood which ensued, Mrs Cluffins's visits formed almost the sole relief to the bare monotony of existence. As a companion the parrot was an utter failure, its language being so irredeemably bad that it spent most of its time in the spare room with a cloth over its cage, wondering when the days were going to lengthen a bit. Mrs Cluffins suggested selling it, but her friend repelled the suggestion with horror, and refused to entertain it at any price, even that of the publican at the corner, who, having heard of the bird's command of language, was bent upon buying it.

"I wonder what that beauty will have to tell your husband," said Mrs Cluffins, as they sat together one day some three months after the *Curlew's* departure.

"I should hope that he has forgotten that nonsense," said Mrs Gannett, reddening; "he never alludes to it in his letters."

"Sell it," said Mrs Cluffins peremptorily. "It's no

«Mehr Freiheit», sagte Mrs Cluffins ernst. «Ich beneide Seemannsfrauen immer. Sie können tun, was sie wollen. Neun bis zehn Monate im Jahr kein Mann, der auf sie aufpaßt.»

Ehe der unglückliche Ingenieur seine entrüsteten Gedanken in Worte fassen konnte, ertönte ein Warnschrei vom Laufsteg, und mit einem hastigen Lebwohl eilte er nach unten. Die Besucher gingen an Land, der Laufsteg wurde hochgezogen, und als Antwort auf das Klappern des Fernschreibers trieb die *Curlew* langsam vom Kai weg und steuerte auf die Drehbrücke zu, die langsam vor ihnen aufging.

Die zwei Damen eilten zum Molenkopf und beobachteten den Dampfer, wie er den Fluß hinabfuhr, bis eine Kurve ihn den Blicken entzog. Dann ging Mrs Gannett mit einem Gefühl, etwas verloren zu haben, was, wie ihre Freundin versicherte, dem Fehlen einer Tasse Tee zuzuschreiben war, langsam in ihr einsames Heim zurück.

In der nun folgenden Zeit der Strohwitwenschaft bildeten Mrs Cluffins' Besuche beinahe die einzige Abwechslung in der öden Eintönigkeit des Daseins. Als Gesellschafter war der Papagei ein krasser Versager, da seine Sprache so unverbesserlich mies war, daß er die meiste Zeit in dem unbenutzten Zimmer mit einem Tuch über dem Käfig verbrachte und nicht recht wußte, wann die Tage endlich ein bißchen länger werden würden. Mrs Cluffins regte an, ihn zu verkaufen, doch ihre Freundin wies den Vorschlag entsetzt zurück und lehnte es ab, ihn um irgendeinen Preis in Erwägung zu ziehen, selbst um den von dem Kneipenwirt an der Ecke gebotenen. Dieser Wirt war, nachdem er von der Redegewandtheit des Vogels erfahren hatte, versessen darauf, ihn zu kaufen.

«Ich bin neugierig, was dieses Prachtexemplar deinem Mann zu erzählen haben wird», sagte Mrs Cluffins, als sie eines Tages, etwa ein Vierteljahr nach Abfahrt der *Curlew*, beisammen saßen.

«Ich möchte hoffen, daß er diesen Blödsinn vergessen hat», sagte Mrs Gannett errötend; «er spielt in seinen Briefen nie darauf an.»

«Verkauf ihn!» sagte Mrs Cluffins mit Entschiedenheit.

good to you, and Hobson would give anything for it almost."

Mrs Gannett shook her head. "The house would-n't hold my husband if I did," she remarked with a shiver.

"Oh yes, it would," said Mrs Cluffins; "you do as I tell you, and a much smaller house than this would hold him. I told C. to tell Hobson he should have it for five pounds."

"But he mustn't," said her friend in alarm.

"Leave yourself right in my hands," said Mrs Cluffins, spreading out two small palms and regarding them complacently. "It'll be all right, I promise you."

She put her arm round her friend's waist and led her to the window, talking earnestly. In five minutes Mrs Gannett was wavering, in ten she had given way, and in fifteen the energetic Mrs Cluffins was *en route* for Hobson's, swinging the cage so violently in her excitement that the parrot was reduced to holding on to its perch with claws and bill. Mrs Gannett watched the progress from the window, and with a queer look on her face sat down to think of the points of attack and defence in the approaching fray.

A week later a four-wheeler drove up to the door, and the engineer, darting upstairs three steps at a time, dropped an armful of parcels on the floor, and caught his wife in an embrace which would have done credit to a bear. Mrs Gannet, for reasons of which lack of muscle was only one, responded less ardently.

"Ha, it's good to be home again," said Gannett, sinking into an easy-chair and pulling his wife on his knee. "And how have you been? Lonely?"

"I got used to it," said Mrs Gannett softly.

The engineer coughed. "You had the parrot," he remarked.

«Er hat für dich keinen Wert, und Hobson würde fast alles für ihn geben.»

Mrs Gannett schüttelte den Kopf. «Das Haus wäre nicht groß genug für den Zorn meines Mannes, wenn ich es täte», bemerkte sie zitternd.

«Oh doch», sagte Mrs Cluffins; «du tust, wie ich dir sage, und ein viel kleineres Haus als dieses wäre groß genug für seinen Zorn. Ich habe C. gesagt, er möge Hobson Bescheid geben, daß er ihn für fünf Pfund haben könne.»

«Aber das darf er nicht», sagte ihre Freundin beunruhigt.

«Überlass alles nur mir!» sagte Mrs Cluffins, breitete ihre beiden kleinen Handflächen aus und betrachtete sie selbstgefällig. «Es wird alles in Ordnung kommen, das verspreche ich dir.»

Sie legte ihrer Freundin den Arm um die Hüfte, führte sie ans Fenster und plauderte ernsthaft. In fünf Minuten war Mrs Gannett unschlüssig, in zehn hatte sie nachgegeben, und in fünfzehn war die tatkräftige Mrs Cluffins unterwegs zu Hobson, wobei sie in ihrer Erregung den Käfig so heftig schwenkte, daß der Papagei gezwungen wurde, sich mit Klauen und Schnabel auf seiner Stange festzuhalten. Mrs Gannett beobachtete den Vorgang vom Fenster aus und setzte sich mit einem seltsamen Gesichtsausdruck nieder, um sich die Angriffs- und Verteidigungspunkte in dem näherrückenden Streit auszudenken.

Eine Woche später fuhr eine vierrädrige Droschke am Eingang vor, und der Ingenieur, der, drei Stufen auf einmal nehmend, treppauf schoß, ließ einen Armvoll Päckchen auf den Boden fallen und umfaßte seine Frau in einer Umarmung, die einem Bären alle Ehre gemacht hätte. Fehlende Muskelkraft war nur einer der Gründe, weshalb Mrs Gannett weniger feurig antwortete.

«Ha, es ist gut, wieder daheim zu sein», sagte Gannett, ließ sich in einen Sessel fallen und zog die Frau auf sein Knie. «Und wie hast du dich gefühlt? Einsam?»

«Ich habe mich daran gewöhnt», sagte Mrs Gannett leise.

Der Ingenieur hustete. «Du hattest ja den Papagei», bemerkte er.

"Yes, I had the magic parrot," said Mrs Gannett.

"How's it getting on?" said her husband, looking round. "Where is it?"

"Part of it is on the mantelpiece," said Mrs Gannett, trying to speak calmly, "part of it is in a bonnet-box upstairs, some of it's in my pocket, and here is the remainder."

She fumbled in her pocket and placed in his hand a cheap two-bleaded clasp-knife.

"On the mantelpiece!" repeated the engineer, staring at the knife; "in a bonnet-box!"

"Those blue vases," said his wife.

Mr Gannett put his hand to his head. If he had heard aright, one parrot had changed into a pair of vases, a bonnet, and a knife. A magic bird with a vengeance!

"I sold it," said Mrs Gannett suddenly.

The engineer's knee stiffened inhospitably, and his arm dropped from his wife's waist. She rose quietly and took a chair opposite.

"Sold it!" said Mr Gannett in awful tones. "Sold my parrot!"

"I didn't like it, Jem," said his wife. "I didn't want that bird watching me, and I did want the vases, and the bonnet, and the little present for you."

Mr Gannett pitched the little present to the other end of the room.

"You see, it mightn't have told the truth, Jem," continued Mrs Gannett. "It might have told all sorts of lies about me, and made no end of mischief."

"It couldn't lie," shouted the engineer passionately, rising from his chair and pacing the room. "It's your guilty conscience that's made a coward of you. How dare you sell my parrot?"

"Because it wasn't truthful, Jem," said his wife, who was somewhat pale.

"If you were half as truthful you'd do," vocifer-

«Ja, ich hatte den Zauberpapagei», sagte Mrs Gannett.

«Wie geht's ihm?» fragte der Gatte, der sich umsah. «Wo ist er denn?»

«Ein Teil von ihm ist auf dem Kaminsims», sagte Mrs Gannett und versuchte, ruhig zu sprechen, «ein Teil von ihm ist in einer Hutschachtel im oberen Stockwerk, etwas von ihm ist in meiner Tasche, und hier ist der Rest.»

Sie fummelte in ihrer Tasche herum und drückte ihm ein billiges Klappmesser mit zwei Klingen in die Hand.

«Auf dem Kaminsims!» wiederholte der Ingenieur und starrte auf das Messer; «in einer Hutschachtel!»

«Die blauen Vasen dort», sagte seine Frau.

Mr Gannett legte die Hand an seinen Kopf. Wenn er recht gehört hatte, hatte sich ein einziger Papagei in zwei Vasen, einen Hut und ein Messer verwandelt. Ein Zaubervogel, der sich rächte!

«Ich habe ihn verkauft», sagte Mrs Gannett plötzlich.

Dem Ingenieur wurden die Knie unerträglich steif, und der Arm fiel ihm von der Hüfte seiner Frau. Sie stand ruhig auf und setzte sich auf einen Stuhl gegenüber.

«Verkauft!» sagte Mr Gannett in schrecklichem Ton. «Meinen Papagei verkauft!»

«Ich mochte ihn nicht, Jem», sagte seine Frau. «Ich wollte nicht, daß dieser Vogel mich beobachtet, und ich wollte die Vasen und den Hut und das kleine Geschenk für dich.»

Mr Gannett feuerte das kleine Geschenk in das andere Ende des Zimmers.

«Er hätte ja vielleicht nicht die Wahrheit gesagt, Jem», fuhr Mrs Gannett fort. «Er hätte vielleicht alle möglichen Lügen über mich erzählt und Zwietracht noch und noch gesät.»

«Er konnte nicht lügen», brüllte der Ingenieur leidenschaftlich, erhob sich vom Sessel und ging im Zimmer auf und ab. «Es ist dein schlechtes Gewissen, das dich zum Feigling gemacht hat. Wie konntest du es wagen, meinen Papagei zu verkaufen?»

«Weil er nicht wahrheitsliebend war, Jem», sagte seine Frau, die ein wenig bleich war.

«Wenn du halb so wahrheitsliebend wärst, würde es rei-

ated the engineer, standing over her. "You, you deceitful woman."

Mrs Gannett fumbled in her pocket again, and producing a small handkerchief applied it delicately to her eyes.

"I – I got rid of it for your sake," she stammered. "It used to tell such lies about you. I couldn't bear to listen to it."

"About *me*!" said Mr Gannett, sinking into his seat and staring at his wife with very natural amazement. "Tell lies about *me*! Nonsense! How could it?"

"I suppose it could tell me about you as easily as it could tell you about me," said Mrs Gannett. "There was more magic in that bird than you thought, Jem. It used to say shocking things about you. I couldn't bear it."

"Do you think you're talking to a child or a fool?" demanded the engineer.

Mrs Gannett shook her head feebly. She still kept the handkerchief to her eyes, but allowed a portion to drop over her mouth.

"I should like to hear some of the stories it told about me – if you can remember them," said the engineer with bitter sarcasm.

"The first lie," said Mrs Gannett in a feeble but ready voice, "was about the time you were at Genoa. The parrot said you were at some concert gardens at the upper end of the town."

One moist eye coming mildly from behind the handkerchief saw the engineer stiffen suddenly in his chair.

"I don't suppose there even is such a place," she continued.

"I – believe – there – is," said her husband jerkily. "I've heard – our chaps – talk of it."

"But you haven't been there?" said his wife anxiously.

chen», schrie der Ingenieur, der über ihr stand. «Du, du falsches Weib!»

Mrs Gannett fummelte wieder in ihrer Tasche, zog ein kleines Taschentuch heraus und legte es sich umständlich auf die Augen.

«Ich – ich habe mich deinetwegen von ihm getrennt», stammelte sie. «Er hat dauernd solche Lügen über dich erzählt. Ich konnte es nicht ertragen, ihm zuzuhören.»

«Über *mich*!» sagte Mr Gannett, ließ sich in seinen Sessel sinken und starrte seine Frau mit sehr natürlicher Verwunderung an. «Lügen über *mich* erzählt! Unsinn! Wie hätte er das gekonnt?»

«Vermutlich konnte er über dich genau so leicht Lügen erzählen wie über mich», sagte seine Frau. «In dem Vogel steckte mehr Zauberkraft, als du ahnst, Jem. Er sagte oft abscheuliche Sachen über dich. Ich habe es einfach nicht ausgehalten.»

«Meinst du, du redest mit einem Kind oder einem Narren?» fragte der Ingenieur.

Mrs Gannett schüttelte schwach den Kopf. Sie hielt noch immer das Taschentuch an die Augen, ließ aber einen Teil davon über den Mund herabfallen.

«Ich möchte gern ein paar der Geschichten hören, die er über mich erzählt hat – falls du dich an sie erinnern kannst», sagte der Ingenieur mit bitterem Hohn.

«Die erste Lüge», sagte Mrs Gannett mit schwacher, aber gefaßter Stimme, «war über die Zeit, da du in Genua warst. Der Papagei sagte, daß du dich in einigen Konzertgärten am oberen Ende der Stadt aufgehalten hast.»

Ein feuchtes Auge, das schüchtern hinter dem Taschentuch hervorkam, sah, daß der Ingenieur in seinem Sessel auf einmal starr wurde.

«Wahrscheinlich gibt es nicht einmal so einen Ort», fuhr sie fort.

«Ich – glaube – es – gibt – ihn», sagte ihr Gatte ruckweise. «Ich habe – unsere Burschen – davon reden hören.»

«Aber du bist doch nicht dort gewesen?» sagte seine Frau besorgt.

"*Never!*" said the engineer with extraordinary vehemence.

"That wicked bird said that you got intoxicated there," said Mrs Gannett in solemn accents, "that you smashed a little marble-topped table and knocked down two waiters, and that if it hadn't been for the captain of the *Pursuit*, who was in there and who got you away, you'd have been locked up. Wasn't it a wicked bird?"

"Horrible!" said the engineer huskily.

"I don't suppose there ever was a ship called the *Pursuit*," continued Mrs Gannett.

"Doesn't sound like a ship's name," murmured Mr Gannett.

"Well, then, a few days later it said the *Curlew* was at Naples."

"I never went ashore all the time we were at Naples," remarked the engineer casually.

"The parrot said you did," said Mrs Gannett.

"I suppose you'll believe your own lawful husband before that damned bird?" shouted Gannett, starting up.

"Of course I didn't believe it, Jem," said his wife. "I'm trying to prove to you that the bird was not truthful, but you're so hard to persuade."

Mr Gannett took a pipe from his pocket, and with a small knife dug with much severity and determination a hardened plug from the bowl, and blew noisily through the stem.

"There was a girl kept a fruit-stall just by the harbour," said Mrs Gannett, "and on this evening, on the strength of having bought three-penny worth of green figs, you put your arm round her waist and tried to kiss her, and her sweetheart, who was standing close by, tried to stab you. The parrot said that you were in such a state of terror that you jumped into the harbour and were nearly drowned."

«*Nie!*» sagte der Ingenieur mit außerordentlicher Heftigkeit.

«Dieser boshafte Vogel sagte, du hättest dich dort betrunken», sagte Mrs Gannett mit feierlicher Betonung, «du hättest dort ein Tischchen mit Marmorplatte zertrümmert, zwei Kellner zusammengeschlagen, und hätte sich nicht der Kapitän der *Pursuit* eingeschaltet, der dort drinnen war und dich fortschaffte, wärst du eingesperrt worden. War das nicht ein boshafter Vogel?»

«Fürchterlich!» sagte der Ingenieur mit belegter Stimme.

«Ich glaube nicht einmal, daß es je ein Schiff gegeben hat, das *Pursuit* hieß», fuhr Mrs Gannett fort.

«Klingt nicht wie ein Schiffsname», brummte Mr Gannett.

«Na, ein paar Tage später sagte er dann, daß die *Curlew* in Neapel sei.»

«In der ganzen Zeit, die wir in Neapel lagen, ging ich nie an Land», bemerkte der Ingenieur beiläufig.

«Der Papagei sagte, daß du an Land gegangen bist», sagte Mrs Gannett.

«Du glaubst doch deinem eigenen gesetzlich angetrauten Gatten eher als diesem verdammten Vogel, oder?» brüllte Gannett und fuhr hoch.

«Natürlich habe ich ihm nicht geglaubt, Jem», sagte seine Frau. «Ich versuche, dir gerade zu beweisen, daß der Vogel nicht wahrheitsliebend war, doch du bist so schwer zu überzeugen.»

Mr Gannett nahm eine Pfeife aus der Tasche, bohrte sehr ernst und entschlossen mit einem kleinen Messer einen verhärteten Pfropfen aus der Höhlung und blies geräuschvoll den Stiel durch.

«Es gab da ein Mädchen, das neben dem Hafen einen Obststand hatte», sagte Mrs Gannett, «und an jenem Abend legtest du, nur weil du ihr für drei Pence grüne Feigen abgekauft hast, deinen Arm um ihre Hüfte und versuchtest, sie zu küssen; ihr Schatz, der ganz in der Nähe stand, versuchte dich zu erstechen. Der Papagei sagte, daß ein solcher Schrekken in dich fuhr, daß du in das Hafenbecken sprangst und beinahe ertrunken wärest.»

Mr Gannett having loaded his pipe lit it slowly and carefully, and with tidy precision got up and deposited the match in the fireplace.

"It used to frighten me so with its stories that I hardly knew what to do with myself," continued Mrs Gannett. "When you were at Suez —"

The engineer waved his hand imperiously.

"That's enough," he said stiffly.

"I'm sure I don't want to have to repeat what it told me about Suez," said his wife. "I thought you'd like to hear it, that's all."

"Not at all," said the engineer, puffing at his pipe. "Not at all."

"But you see why I got rid of the bird, don't you?" said Mrs Gannett. "If it had told you untruths about me, *you* would have believed them, wouldn't you?"

Mr Gannett took his pipe from his mouth and took his wife in his extended arms. "No, my dear," he said brokenly, "no more than you believe all this stuff about me."

"And I did quite right to sell it, didn't I, Jem?"

"Quite right," said Mr Gannett with a great assumption of heartiness. "Best thing to do with it."

"You haven't heard the worst yet," said Mrs Gannett. "When you were at Suez —"

Thumping the table with his clenched fist, Mr Gannett forbade his wife to mention the word again, and desired her to prepare supper.

Not until he heard his wife moving about in the kitchen below did he relax the severity of his countenance. Then his expression changed to one of extreme anxiety, and he restlessly paced the room, seeking for light. It came suddenly.

"Jenkins!" he gasped. "Jenkins and Mrs Cluffins, and I was going to tell Cluffins about him writing to his wife. I expect he knows the letter by heart."

Mr Gannett stopfte seine Pfeife, entzündete sie langsam und sorgfältig, stand mit bemerkenswerter Bestimmtheit auf und legte das Streichholz am Kamin ab.

«Der Papagei erschreckte mich ständig derart mit seinen Geschichten, daß ich kaum wußte, was ich mit mir anfangen sollte», fuhr Mrs Gannett fort. «Als du in Suez warst ...»

Der Ingenieur winkte gebieterisch mit der Hand.

«Es reicht», sagte er steif.

«Sicherlich will ich dir nicht wiederholen müssen, was er mir über Suez erzählte», sagte seine Frau. «Ich dachte, du würdest es gern hören, das ist alles.»

«Überhaupt nicht», sagte der Ingenieur und paffte an seiner Pfeife. «Überhaupt nicht.»

«Doch du verstehst, warum ich den Vogel weggeschafft habe, nicht wahr?» sagte Mrs Gannett. «Wenn er dir Lügen über mich erzählt hätte, hättest *du* sie geglaubt, stimmt's?»

Mr Gannett nahm die Pfeife aus dem Mund und schloß seine Frau in die ausgebreiteten Arme. «Nein, meine Liebe», sagte er stoßweise, «nicht mehr, als du dieses ganze Zeug über mich glaubst.»

«Und ich habe doch ganz recht getan, ihn zu verkaufen, nicht wahr, Jem?»

«Ganz recht», sagte Mr Gannett mit großer vorgetäuschter Herzlichkeit. «Das Beste, um ihn loszuwerden.»

«Du hast das Schlimmste noch nicht gehört», sagte Mrs Gannett. «Als du in Suez warst ...»

Mr Gannett schlug mit der geballten Faust auf den Tisch, verbot seiner Frau, das Wort noch einmal zu erwähnen und wünschte, daß sie das Abendessen zubereite.

Erst als er hörte, wie sich seine Frau in der Küche unten herumtrieb, lockerte er die Strenge seiner Haltung. Dann wandelte sich sein Gesichtsausdruck in einen Ausdruck äußerster Besorgnis, er ging ruhelos im Zimmer auf und ab und suchte Erleuchtung. Sie kam plötzlich.

«Jenkins!» keuchte er. «Jenkins und Mrs Cluffins! Und ich wollte Cluffins erzählen, daß der an seine Frau geschrieben hatte. Er kann den Brief wohl längst auswendig.»

> In which a banana skin causes almost as
> much worry and trouble as the proverbial apple

These are the facts.

Lord Coodle, on the dark night of 17 February 1927, when walking along the ducal towing-path, slipped on a banana skin and fell into the Wimbledon Canal. Mark the date. The night of 17 February 1927. Lord Coodle was almost drowned. He was as near as matters to becoming the late Lord Coodle, of Jermyn Mansions and Coodle Park, that pleasant buffer state to the south-west of London town. But for the presence – and the presence of mind – of Mr Herbert Fawcit, the life of Lord Coodle, from that moment on, would have been history.

Mr Herbert Fawcit saved the life of Lord Coodle.

"'Ello!" exclaimed Mr Herbert Fawcit, pulling up on the ducal towing-path and staring at the blob in the water. "What's this?"

"Help!" cried Lord Coodle.

"Hang on, old man!" responded Mr Herbert Fawcit; and tearing off his coat – which happened to be not his only but his best coat – he promptly lept into the murky waters of the Wimbledon Canal and got Lord Coodle by the hair.

"This way, old man," he said swiftly, "Kick out! The devil! Don't kick me! Kick *out*! "Ere! Can't yer swim?"

Lord Coodle merely guggling at this, Mr Fawcit got a tighter grip at the noble hair.

"If yer won't make such a devil of a fuss I'll have yer out in two ticks," he promised. "Look 'ere – put yer hands on that stay. Stay! The devil! That lump of wood on top of the towing-path. That's right. Now!"

The Wimbledon Canal is at its deepest at that

Will Scott: Das Leben des Lord Coodle

In dem eine Bananenschale fast ebensoviel Kummer und
Aufregung verursacht wie der sprichwörtliche Apfel

Dies ist der Sachverhalt.

Als in der dunklen Nacht des 17. Februar 1927 Lord Coodle
am herzoglichen Treidelpfad entlangging, glitt er auf einer
Bananenschale aus und fiel in den Wimbledon-Kanal. Prägen
Sie sich das Datum ein! Die Nacht des 17. Februar 1927.
Lord Coodle wäre fast ertrunken. Der Gebieter über den Her-
rensitz von Jermyn und Coodle Park, diesen anmutigen Puf-
ferstaat im Südwesten der Stadt London, war denkbar nahe
daran, der verblichene Lord Coodle zu werden. Ohne die
Anwesenheit – und die Geistesgegenwart – von Mr Herbert
Fawcit wäre Lord Coodles Leben von jenem Augenblick an
Geschichte gewesen.

Mr Herbert Fawcit rettete Lord Coodle das Leben.

«Hallo!» rief Mr Herbert Fawcit, der auf dem herzoglichen
Treidelpfad stehenblieb und auf den Fleck im Wasser starrte.
«Was ist denn das?»

«Hilfe!» rief Lord Coodle.

«Halt dich fest, Alter!» erwiderte Mr Herbert Fawcit, riß
seine Jacke herunter – die zufällig nicht nur seine einzige,
sondern auch seine beste war –, sprang unverzüglich in das
trübe Wasser des Wimbledon-Kanals und packte Lord Coodle
an den Haaren.

«Hierher, Alter!» sagte er schnell. «Stoß dich nach außen
ab! Zum Teufel! Stoß nicht *mich*! Stoß nach *außen*! Hier!
Kannst'n du nich schwimmen?»

Da Lord Coodle daraufhin bloß gluckste, faßte ihn Mr Fawcit fester am adeligen Haar.

«Wenn du nicht so einen verdammten Wirbel machst, habe
ich dich im Nu an Land», versprach er. «Schau her – leg deine
Hände auf die Strebe dort! Auf die Strebe, zum Teufel! Auf
das Trumm Holz da oben auf dem Treidelpfad. So ist's recht.
Jetzt!»

Gerade an dieser Stelle ist der Wimbledon-Kanal am tief-

particular spot, and the slimey wooden banking to the towing-path is nowhere steeper. If you couldn't swim, and you happened to have one or two aboard (Lord Coodle very often happened to have one or two aboard), you had precisely a dog's chance in the Wimbledon Canal. Lord Coodle realized very clearly that he owed his life to Mr Herbert Fawcit.

He realized the fact very clearly before Mr Fawcit had got him on the bank; and when Mr Fawcit had got him on the bank he attempted to say so.

"Do you know," he said, "dash me if I wasn't next best thing to a goner when you got me by the scalp. Do you know, you saved my life!"

"You must have had a devil of a load on," observed Mr Fawcit.

"I beg your pardon?" said Lord Coodle.

"Stewed," said Mr Fawcit.

Lord Coodle said nothing to this, but began to grope about on the towing-path.

"I say, have you seen my monocle?" he asked presently. "Do you know, I believe I've lost the dashed thing."

"Shouldn't worry about a bit of a thing like a monocle," said Mr Fawcit, shaking the water out of his boots. "You've got a devil of a lot more to worry about than a bit of a thing like that, old man. You're absolutely soaked."

"I am wet, you know," Lord Coodle agreed. "I think I ought to be getting along. I shall be taking a chill."

"A devil of a chill, old man," said Mr Fawcit.

"It will always be a puzzle to me how I came to be in the canal," Lord Coodle went on slackly. "I was walking along, as right as anything, and then, do you know, out went my legs and I was in. I was walking along, as right as anything, when out went my legs and splash! I was in."

sten, und die glitschige hölzerne Uferböschung zum Treidelpfad hin ist nirgends steiler. Wenn man nicht schwimmen konnte und zufällig einen oder zwei hinter die Binde gegossen hatte (Lord Coodle hatte sehr oft einen oder zwei gepichelt),

gab es im Wimbledon-Kanal keinerlei Aussicht auf Rettung. Lord Coodle erkannte sehr klar, daß er Mr Herbert Fawcit das Leben verdankte.

Er erkannte die Tatsache sehr klar, noch ehe Mr Fawcit ihn ans Ufer geschafft hatte; und als Mr Fawcit ihn am Ufer hatte, versuchte Lord Coodle, das zum Ausdruck zu bringen.

«Nicht wahr», sagte er, «ich wäre, verflixt, so gut wie verloren gewesen, wenn Sie mich nicht beim Skalp erwischt hätten. Sie haben mir doch das Leben gerettet!»

«Sie müssen ja gewaltig geladen haben», bemerkte Mr Fawcit.

«Wie bitte?» fragte Lord Coodle.

«Angesäuselt», sagte Mr Fawcit.

Lord Coodle antwortete nichts darauf, sondern begann, auf dem Treidelpfad herumzutasten.

«Hören Sie, haben sie mein Monokel gesehen?» fragte er dann. «Wissen Sie, ich glaube, ich habe das verdammte Ding verloren.»

«Würde mir keine Gedanken machen wegen einer Kleinigkeit, wie es ein Monokel ist», sagte Mr Fawcit und schüttelte das Wasser aus seinen Stiefeln. «Du mußt dich um verdammt mehr kümmern als um so eine Lappalie, Alter. Du bist ja patschnaß.»

«Ich bin naß, allerdings», pflichtete Lord Coodle bei. «Ich glaube, ich sollte weitergehen. Ich werde mir eine Erkältung holen.»

«Eine Mordserkältung, Alter», sagte Mr Fawcit.

«Es wird mir immer ein Rätsel bleiben, wie ich in den Kanal geraten bin», fuhr Lord Coodle mit matter Stimme fort. «Ich ging meines Wegs, einfach geradeaus, und dann, nicht wahr, rutschten mir die Beine weg, und ich war drin. Ich ging einfach meines Weges, geradeaus, und plumps! war ich drin.»

"Devil of a mess!" said the sympathetic Mr Fawcit. "Must have slipped on something, old man."

"But, I say, what could I have slipped on?"

And now, Mr Fawcit, in his turn, began to grope about on the towing-path.

"I've got it!" he announced at length.

"Have you found my monocle?" asked Lord Coodle. "Good man!"

"To the devil with your monocle!" said Mr Fawcit with a grin. "It's a banana skin. This is what you slipped on, old chap."

"Now isn't that extraordinary!" Lord Coodle exclaimed. "A little thing like that causing all this trouble! There was I one moment walking along as right as anything, and then, do you know, out went my legs and splash! I was in the canal. A most extraordinary thing. Right in the water. Do you know, I'm frightfully chilly."

"If I was you, old man," said Mr Fawcit, "I'd nip along home and get into bed. You'll be catching a dose o' what-for if you don't take care. And a dose o' what-for," Mr Fawcit concluded gravely, "is the very devil!"

"I say, I believe you're right," said Lord Coodle. "Do you know, I think I'll go home."

"Know your way?" enquired Mr Fawcit.

"Oh, yes," said Lord Coodle. "Oh, yes, rather. I live just along here. No distance at all. In fact, I was just taking the little dog out for its stroll when I slipped on that infernal banana skin and fell into the canal."

"Where's the little dog?" asked Mr Fawcit.

Lord Coodle peered about him in the gloom.

"Do you know," he said, "it's a most remarkable thing, but I believe I forgot to bring the little dog out."

"Well, never mind about the little dorg, old man,"

«Verdammte Schweinerei!» sagte der mitfühlende Mr Fawcit. «Du mußt auf was ausgerutscht sein, Alter!»

«Aber auf was konnte ich denn ausgerutscht sein?»

Und jetzt fing Mr Fawcit seinerseits an, auf dem Treidelpfad herumzutasten.

«Ich hab's!» verkündete er schließlich.

«Haben Sie mein Monokel gefunden?» fragte Lord Coodle. «Mein Guter!»

«Zum Teufel mit deinem Monokel!» sagte Mr Fawcit grinsend. «Eine Bananenschale. Darauf bist du ausgerutscht, alter Knabe.»

«Ist das denn nicht außergewöhnlich!» rief Lord Coodle aus. «Ein kleines Ding wie dieses verursacht diese ganze Schererei. Da ging ich nur einen Augenblick meines Wegs, einfach geradeaus, und dann, nicht wahr, rutschten mir die Beine weg und plumps! war ich im Kanal. Eine ganz außergewöhnliche Sache. Mitten im Wasser. Wissen Sie, mich friert fürchterlich.»

«An deiner Stelle, Alter», sagte Mr Fawcit, «würde ich schleunigst nach Hause rennen und mich ins Bett legen. Du wirst, wenn du nicht aufpaßt, dir ordentlich was weg holen. Und so was», schloß Mr Fawcit seine Rede ernst, «ist eine verteufelte Sache.»

«Ich muß sagen, ich glaube, Sie haben recht», antwortete Lord Coodle. «Wissen Sie was, ich gehe lieber nach Hause.»

«Findest du deinen Weg?» fragte Mr Fawcit.

«Oh ja», sagte Lord Coodle. «Oh ja, gewiß. Ich wohne hier gleich geradeaus. Überhaupt keine Entfernung. Ich habe wirklich bloß das Hündchen zu seinem Spaziergang ausgeführt, als ich auf dieser verdammten Bananenschale ausrutschte und in den Kanal fiel.»

«Wo ist das Hunderl?» fragte Mr Fawcit.

Lord Coodle spähte in der Dunkelheit um sich.

«Wissen Sie», sagte er, «es ist überaus bemerkenswert, doch ich glaube, ich habe vergessen, das Hündchen mitzunehmen.»

«Na, kümmere dich nicht um das Hunderl, Alter!» be-

said Mr Fawcit. "You go home at a devil of a lick and get between the blankets. A dose of hot whisky'll soon put you to rights."

"I say, no!" exclaimed Lord Coodle as he staggered damply to his feet and took Mr Fawcit by the arm.

"No?" said Mr Fawcit.

"Matter of fact," explained Lord Coodle, "if I hadn't had quite so much already tonight, possibly – just possibly – I'd have seen that banana skin. Ha! ha!"

"Devil of a joke!" commented Mr Fawcit. "Where do you live?"

"Just along," said Lord Coodle. "I go this way."

"So do I," said Mr Fawcit.

"Then, I tell you what," said Lord Coodle, "we'll go along together. Do you know, I don't know your name."

"Fawcit," said Mr Fawcit promptly. "Mr Herbert Fawcit."

"Mr Herbert Fawcit," Lord Coodle echoed gravely. "Ah! Do you know, old man, I don't know you!"

"That's all right, old man," said Mr Fawcit.

"No, but I mean – it's rather remarkable, what? I mean to say, dammit, you've just saved my life! And I don't know you. Do you know, I think that's dashed odd. By the way! Stop!"

"I'm as wet as the devil, and taking cold, old man," Mr Fawcit protested.

"Doesn't matter, dear fellow," said Lord Coodle. "Listen to me – listen to this. Now, what is it? How does it go? Um, toodle, oodle, um – um, toodle, oodle, um – how does it go, now? Thanks for the buggy ride, thanks for the buggy ride, I've had a wonderful time. My girl's got ginger hair, my girl's got – That's not it. How does it go, dear old boy?"

"Blowed if I know," said Mr Fawcit. "Sounds a devil of a mess to me. Now you come along, old

merkte Mr Fawcit. «Saus wie ein geölter Blitz heim und schlupf zwischen die Decken. Ein kräftiger Schluck heißer Whisky bringt dich bald wieder in Ordnung.»

«Aber nein!» rief Lord Coodle, als er geschwächt und torkelnd auf die Beine kam und Mr Fawcit am Arm faßte.

«Nein?» sagte Mr Fawcit.

«Tatsache ist», erklärte Lord Coodle, «wenn ich heute abend nicht schon ganz so viel gehabt hätte, hätte ich vielleicht – eben vielleicht – diese Bananenschale gesehen. Ha! ha!»

«Ein Mordswitz!» bemerkte Mr Fawcit. «Wo wohnst du denn?»

«Einfach geradeaus», sagte Lord Coodle. «Ich gehe hier entlang.»

«Ich auch», antwortete Mr Fawcit.

«Dann sage ich Ihnen etwas», sagte Lord Coodle, «wir gehen zusammen. Allerdings weiß ich noch gar nicht, wie Sie heißen.»

«Fawcit», antwortete Mr Fawcit sogleich. «Mr Herbert Fawcit.»

«Mr Herbert Fawcit», wiederholte Lord Coodle ernst. «Ach wissen Sie, mein Lieber, ich kenne Sie nicht.»

«Ist schon recht, Alter», sagte Mr Fawcit.

«Nein, ich meine doch – es ist ziemlich erstaunlich, was? Ich will sagen, verdammt nochmal, Sie haben mir eben das Leben gerettet. Und ich kenne Sie nicht. Wissen Sie, ich finde, das ist verdammt ungewöhnlich. Übrigens! Halt!»

«Ich bin pudelnaß und erkälte mich, Alter», wandte Mr Fawcit ein.

«Macht nichts, mein Lieber», sagte Lord Coodle. «Hören Sie mir zu – hören Sie sich folgendes an. Na, was ist das? Wie geht es? Rum-dudl-dudl-rum – wie geht es eigentlich? Danke für die Kutschfahrt, ich fand es wunderschön. Meine Braut hat rötlich Haar, meine Braut hat ... Das ist es nicht. Wie geht das Lied, mein lieber alter Knabe?»

«Zum Kuckuck, wenn ich's kenne!» sagte Mr Fawcit. «Klingt für mich wie verdammt wirres Zeug. Nun komm mit mir, Alter! Du wirst dir ein Fieber holen, wenn du hier

man. You'll be takin' a fever if you stop here singing devilish silly songs like that all night."

"I believe you're right," said Lord Coodle. "You
are right! Dashed odd! You're always right!"

And then he pulled up suddenly and let out an
enormous piercing whistle.

"What the devil's the matter now, old man?" Mr
Fawcit demanded.

"Dog," said Lord Coodle.

"You left it at home," said Mr Fawcit.

"Did I?" said Lord Coodle, very surprised. "Then
what was I doing on the towing-path, dear boy?"

"You", said Mr Fawcit plainly, "had had a devil of
a binge, old man, and *didn't know* you were on the
towing-path."

"How you do manage to think of things," said
Lord Coodle brightly. "You're a most convenient
chap! Do you know, I'd have been drowned if it had-
n't been for you. "

"Well, you can forget about that, old man," said
Mr Fawcit.

"I never *will* forget about it," declared Lord Coodle stoutly. "Day of my death ——"

They stopped under the ornamental lamps at the
gates of Coodle Park.

"What the devil's on your mind now?" Mr Fawcit
wanted to know.

"Live here," said Lord Coodle.

"Go to the devil," said Mr Fawcit, grinning.

"Fact!" said Lord Coodle. "Look here, dear fellow,
you saved my life, and I've got to do something
'bout it. Can't let it go at that. Got to do something.
Look here now, what's your name?"

"Well, I'm blowed!" exclaimed Mr Fawcit. "Ain't
you the blinkin' limit, old man? My name's Fawcit
– Herbert Fawcit. Mr Herbert Fawcit."

"Dashed odd!" muttered Lord Coodle. "Do you
know, I've never heard of you, old chap."

bleibst und die ganze Nacht solche schrecklich blödsinnigen Lieder singst.»

«Ich glaube, Sie haben recht», sagte Lord Coodle. «Sie haben *wirklich* recht. Verflixt! Sie haben immer recht!»

Und dann riß er sich auf einmal zusammen und stieß einen gewaltigen, durchdringenden Pfiff aus.

«Was, zum Kuckuck, ist denn jetzt los, Alter?» wollte Mr Fawcit wissen.

«Hund», sagte Lord Coodle.

«Den hast du zu Hause gelassen», sagte Mr Fawcit.

«Tatsächlich?» fragte Lord Coodle, sehr erstaunt. «Was habe ich dann auf dem Treidelpfad getan, mein Lieber?»

«Du hattest eine Mordssauferei hinter dir, Alter», sagte Mr Fawcit unverblümt, «und hast *nicht gewußt*, daß du auf dem Treidelpfadst warst.»

«Wie es Ihnen gelingt, sich an Dinge zu erinnern», sagte Lord Coodle strahlend. «Sie sind ein überaus praktischer Bursche. Sie wissen doch, daß ich ertrunken wäre, wenn Sie nicht gewesen wären.»

«Na, das kannste doch vergessen, Alter!» bemerkte Mr Fawcit.

«Ich *will* es aber nie vergessen», erklärte Lord Coodle mit Festigkeit. «Noch am Tage meines Todes …»

Unter den Zierlampen an den Toren des Coodle-Parks blieben sie stehen.

«Was, zum Kuckuck, hast du denn jetzt vor?» wollte Mr Fawcit wissen.

«Wohne hier», sagte Lord Coodle.

«Scher dich zum Teufel!» bemerkte Mr Fawcit und grinste.

«Tatsache!» sagte Lord Coodle. «Schauen Sie, mein Lieber, Sie haben mir das Leben gerettet, und ich muß dafür etwas tun. Kann es nicht dabei bewenden lassen. Muß etwas tun. Schauen Sie, wie ist Ihr Name?»

«Na, Himmeldonnerwetter!» rief Mr Fawcit. «Du bist ja bescheuert, daß es höher nicht mehr geht, Alter! Ich heiße Fawcit – Herbert Fawcit.»

«Verdammt merkwürdig!» murmelte Lord Coodle. «Wissen Sie, ich habe nie von Ihnen gehört, alter Knabe.»

"You're devilish stewed, my lad," said Mr Fawcit sternly. "Best thing you can do is nip in home and get in the sheets. Otherwise," he added, "you goin' to have a devil of a 'flu."

"I'll do as you say," said Lord Coodle. "You always seem to be right, somehow. Remarkable thing! I say, dear fellow, I'll tell you what to do. Tomorrow – you come in here and see me. You understand?

Come in here and see me. Ask for me. If you told me your name I should only forget it, and if you gave me your address I should only lose the darn thing; so you hear what I say – pop in and see me tomorrow. See?"

"What the devil's your name, old man?" Mr Fawcit asked.

"Name? Ah! Of course. Naturally. Coodle," said the worthy peer.

"Coodle?"

"Precisely, Coodle."

"Devil of a name!" remarked Mr Fawcit.

"Well, goodbye, dear fellow," said Lord Coodle, gripping Mr Fawcit by the lapels. "And a thousand thanks. You saved my life. I don't know what your name is, but I owe everything to you. I'll never forget it – never! Drop in and see me tomorrow. Coodle! Goodbye, dear fellow – goodbye!"

Lord Coodle gaily waved his hand, spun round and tottered up the drive of Coodle Park.

And a moment later Mr Herbert Fawcit was proceeding to his own humble home, three wet miles away to the east.

"As binged as the devil!" he kept saying to himself, over and over again. "Coodle! Must be a species of valet or something. Oh, well. Decent chap. I'll look him up."

When he reached home he told his wife about it.

«Na, du bist aber sakrisch blau, mein Junge», antwortete Mr Fawcit streng. «Das Beste, was du tun kannst ist, ins Haus zu flitzen und in die Federn zu kriechen. Sonst», fügte er hinzu, «wirst du einen höllischen Schnupfen kriegen.»

«Ich werde tun, wie Sie sagen», bemerkte Lord Coodle. «Irgendwie scheinen Sie immer recht zu haben. Bemerkenswert! Hören Sie, mein Lieber. Ich werde Ihnen sagen, was zu tun ist. Morgen – kommen Sie hierher und besuchen Sie mich. Verstanden? Kommen Sie hierher und besuchen Sie mich. Fragen nach mir. Wenn Sie mir Ihren Namen sagten, würde ich ihn nur vergessen, und wenn Sie mir Ihre Anschrift gäben, würde ich das verdammte Ding nur verlieren; hören Sie also, was ich sage – schauen Sie morgen herein und besuchen Sie mich! Ja?»

«Wie, zum Teufel, heißt du denn, alter Knabe?» fragte Mr Fawcit.

«Name? Ach, selbstverständlich. Natürlich! Coodle», sagte der ehrenwerte Adlige.

«Coodle?»

«Genau, Coodle.»

«Verflixter Name!» bemerkte Mr Fawcit.

«Nun, leben Sie wohl, mein Lieber», sagte Lord Coodle und faßte Mr Fawcit an den Rockaufschlägen. «Und tausend Dank. Sie haben mir das Leben gerettet. Ich weiß nicht, wie Sie heißen, doch ich verdanke Ihnen alles. Ich werde es nie vergessen – nie. Schauen Sie morgen herein, besuchen Sie mich! Coodle! Leben Sie wohl, mein Lieber – leben Sie wohl!»

Lord Coodle winkte fröhlich mit der Hand, drehte sich um und wankte die Auffahrt des Coodle-Parks hinauf.

Und einen Augenblick später strebte Mr Fawcit seinem eigenen bescheidenen Heim zu, das drei feuchte Meilen nach Osten zu lag.

«Sternhagelblau!» sagte er zu sich selbst, immer und immer wieder. «Coodle! Er muß eine Art Kammerdiener oder so was sein. Na gut. Ganz annehmbarer Mann. Ich werde ihn aufsuchen.»

Als er zu Hause ankam, erzählte er seiner Frau davon.

Coodle Park is not the place it used to be. The Coodles had had to do things to keep going. Doing things had mostly consisted of selling slices of Coodle Park to vulgar builders. So that Coodle Park was bordered on one side entirely by a kind of cheap garden suburb, wherein you could purchase a villa for a hundred pounds down and harassment for the rest of your life. To the north-east it was bordered by the fag-ends of London, and to the south-west by the fag-ends of Surrey. On the remaining side it was bordered by the railway and the canal.

But whatever might happen to Coodle Park, Coodle Hall remained the same gay gem it had been for the last two hundred and fifty years. It was certainly the finest affair that Mr Herbert Fawcit had ever set eyes on; and he admitted as much when, on the morning following immersion, he climbed the wide stone steps and rang the ancient bell.

A kind of ambassador, a gilded being from the higher spheres, responded to the summons, and for a second took the breath out of Mr Fawcit's body.

"Morning, sir," he said at last. "Want to see Mr Coodle."

"*Mr* Coodle!" the butler sniffed.

"Don't he live here?" asked the doubting Mr Fawcit.

"*Lord* Coodle lives here," returned the beautiful one, staring blankly.

"Go hon!" Mr Fawcit grinned.

"What is your business?" the butler demanded.

"Oh, it ain't business, sir," said Mr Fawcit. "I sort o' just dropped in to see him."

"Indeed! I am afraid ——"

"He asked me to, yer see."

How the duet might have ended can only be guessed at; but at that moment, luckily for Mr Fawcit, Lord Coodle himself crossed the hall and chanced to glance in Mr Fawcit's direction.

Der Coodle-Park ist nicht das, was er einmal war. Die Coodles hatten etwas unternehmen müssen, damit es weiterging. Diese Unternehmungen hatten zumeist darin bestanden, Stücke des Parks an gewöhnliche Bauwillige zu verkaufen. So daß der Coodle-Park auf der einen Seite ganz an eine Art von billigem Gartenvorort grenzte, in dem man eine Villa für hundert Pfund in bar und Scherereien für den Rest seines Lebens kaufen konnte. Nach Nordosten zu bildeten die Ränder Londons die Grenze, nach Südwesten zu die Ränder von Surrey. Auf der freien Seite waren Eisenbahn und Kanal die Grenze.

Doch was auch mit dem Coodle-Park geschehen mochte, das Herrenhaus der Coodles blieb das gleiche heitere Juwel, das es in den vergangenen zweihundertfünfzig Jahren gewesen war. Es war gewiß das Herrlichste, was Mr Herbert Fawcit je zu Gesicht bekommen hatte; so viel gab er zu, als er am Morgen, der auf die «Taufe» folgte, die breiten Steinstufen hinaufstieg und die alte Glocke läutete.

So etwas wie ein Gesandter, ein geschmücktes Wesen aus den höheren Gefilden, sah nach, wer da war und raubte eine Sekunde lang Mr Fawcit den Atem.

«Guten Morgen, Sir!» sagte er schließlich. «Möchte Mr Coodle sehen.»

«*Mr* Coodle!» sagte der Butler naserümpfend.

«Wohnt er nicht hier?» fragte der zweifelnde Mr Fawcit.

«Hier wohnt *Lord* Coodle», erwiderte der Schöne und starrte fassungslos.

«Was du nicht sagst, Süßer!» grinste Mr Fawcit.

«In welcher Angelegenheit kommen Sie?» fragte der Butler.

«Oh, es handelt sich um keine Angelegenheit, Sir», sagte Mr Fawcit. «Ich bin bloß hereingeschneit, um ihn zu besuchen.»

«Tut mir wirklich leid …»

«Er hat mich darum gebeten, wissense.»

Wie das Wortgeplänkel hätte ausgehen können, läßt sich nur vermuten; doch gerade in diesem Augenblick schritt Lord Coodle selbst, zum Glück für Mr Fawcit, durch die Empfangshalle und warf zufällig einen Blick in dessen Richtung.

"Hello! old man," Mr Fawcit shouted. "Coo-ee!"

Lord Coodle tottered forward and stared.

Seen in the light of day, he was at least thirty-eight, minus chin and plus a long, inquisitive nose. Apparently he had a fund of monocles on which to draw, for one now reposed languidly in front of his right eye, and through it he blankly surveyed the unprepossessing form and features of Mr Herbert Fawcit.

"How goes it, old man?" Mr Fawcit enquired. "Thought I'd just pop in an' see how you was gettin' on. Devilish weather, ain't it?"

"Do I – ah – do I know you?" drawled Lord Coodle uneasily.

"Well, I'll go to the devil!" exclaimed Mr Fawcit.

"I – ah – I know your face," said Lord Coodle, not trying very hard. "Yes, I suppose I know your face."

The butler was the uneasiest of the trio. He stroked his nose and looked away.

"What about last night in the canal?" said Mr Fawcit.

"Why, goodness gracious me, yes!" cried Lord Coodle, blushing crimson as far as his collar, and possibly beyond. "Why, yes, of course! The canal ... Yes..." He pulled at his tie and tittered. "Er – do you know, you'd better come in."

Mr Fawcit came in, and the butler retired, much intrigued by the suggestion about the canal and the night before. He had been making rough guesses at the reason for the condition of Lord Coodle's clothes all the morning, but this was beyond his wildest hopes. Lord Coodle in the canal! He carried the spicy tit-bit to the servants' hall.

Meantime Mr Fawcit was sitting in the poshest chair in the world, in front of the fire in Lord Coodle's library.

"Dashed odd, you know, my man," Lord Coodle

«Hallo, Alter», brüllte Mr Fawcit. «Hierbinii!»

Lord Coodle wankte heran und machte große Augen.

Wenn man ihn bei Tageslicht sah, war er mindestens achtunddreißig, abzüglich Kinn und zuzüglich einer langen, wißbegierigen Nase. Anscheinend hatte er einen Vorrat an Monokeln, deren er sich bedienen konnte, denn eines ruhte jetzt schlaff vor seinem rechten Auge, und durch dieses hindurch musterte er bestürzt Mr Herbert Fawcits wenig einnehmende Gestalt und seine Gesichtszüge.

«Wie geht's, Alter?» erkundigte sich Mr Fawcit. «Dachte, ich platz bloß mal rein und schau, wie's weitergeht mit dir. Scheußliches Wetter, wie?»

«Kenne – hm – kenne ich Sie?» fragte Lord Coodle gedehnt und innerlich unruhig.

«Das ist ja wohl das Letzte», rief Mr Fawcit.

«Ich – hm – ich kenne Ihr Gesicht», sagte Lord Coodle, der sich nicht sehr bemühte. «Ja, ich kenne wohl Ihr Gesicht.»

Von den dreien war dem Butler am unbehaglichsten zumute. Er fuhr sich mit der Hand über die Nase und schaute weg.

«Was war denn vergangene Nacht im Kanal?» fragte Mr Fawcit.

«Ach, du meine Güte, ja!» rief Lord Coodle, der bis zum Kragen und vermutlich noch darüber hinaus knallrot wurde. «Ach ja, natürlich! Der Kanal ... Ja ...» Er zog an seiner Krawatte und zitterte. «Hm, wissen Sie, Sie sollten lieber reinkommen.»

Mr Fawcit trat ein, und der Butler, sehr verblüfft wegen des Hinweises auf den Kanal und die Nacht zuvor, zog sich zurück. Er hatte den ganzen Morgen hindurch flüchtige Vermutungen über den Grund der Beschaffenheit von Lord Coodles Kleidung angestellt, doch dies übertraf seine tollsten Erwartungen. Lord Coodle im Kanal! Er trug den würzigen Leckerbissen in die Gesindestube.

Mittlerweile hatte es sich Mr Fawcit im piekfeinsten Sessel der Welt bequem gemacht, vor dem Kamin in Lord Coodles Bibliothek.

«Verdammt seltsam, mein Lieber», sagte Lord Coodle,

was saying. "I woke up on the front steps at three o'clock this morning. Goodness knows how I've come to miss a cold. Sound constitution, I suppose. I say, I suppose I was a bit on last night, what?"

"A bit on? The devil! old man," said Mr Fawcit.

"Look here, now – I fell in the canal and was drowning, or some stupid thing, and you trekked up and saved my life. Wasn't that about it?" said Lord Coodle.

"Oh, well, you can forget about that, old chap," said Mr Fawcit.

"But that's just it, you see – I can't possibly forget about it," insisted Lord Coodle. "Do you know, if it hadn't been for you, I'd not be here now. No. I insist on doing something for you."

"But there's nothing I want, old man," said Mr Fawcit.

"Surely there is," said Lord Coodle.

"The devil! I ought to know."

Mr Fawcit reached out and tapped Lord Coodle on the knee.

"'Ere," he said, "who the devil would have thought you was a lord? Why, you're just like me or the next bloke, ain't yer, old man? Now that johnny out there, what popped out when I rung the bell, I don't mind admittin' he fairly put the wind up me. Who is he? Archbishop of Canterbury?"

"Oh," said Lord Coodle, "he's the butler."

"Well, I'll go to the devil!" said Mr Fawcit.

"Now, look here," said Lord Coodle, with near-firmness. "You must let me get this thing settled right away. You saved my life, and I ——"

"Tell yer what yer can do," said Mr Fawcit. "I seen some A1 grapes in yer greenhouse as I was comin' up the drive here.

I got a couple o' nippers at home what would give anything for to have some grapes growed an' cut by a real, live lord. What about nip-

«ich bin heute um drei Uhr morgens auf den vorderen Treppenstufen aufgewacht. Weiß der Kuckuck, wie ich um eine Erkältung herumgekommen bin. Gesunde körperliche Verfassung, vermutlich. Hören Sie, ich glaube, ich war gestern abend leicht beschwipst, was?»

«Leicht beschwipst? Zum Teufel, Alter!» sagte Mr Fawcit.

«Schauen Sie – ich fiel in den Kanal und war beinahe am Ertrinken oder so was Blödem; da kamen Sie vorbei und retteten mir das Leben. War's nicht so ähnlich?» sagte Lord Coodle.

«Oh gut, das kannste vergessen, alter Knabe», antwortete Mr Fawcit.

«Aber das ist es ja gerade, verstehen Sie doch – ich kann das unmöglich vergessen», betonte Lord Coodle. «Wissen Sie, wenn Sie nicht gewesen wären, wäre ich jetzt nicht hier. Nein. Ich bestehe darauf, etwas für Sie zu tun.»

«Aber ich brauch nichts, Alter», sagte Mr Fawcit.

«Irgend etwas doch bestimmt», sagte Lord Coodle.

«Zum Teufel! Das müßt ich doch wissen.»

Mr Fawcit streckte die Hand aus und klopfte Lord Coodle ans Knie.

«Hör zu», sagte er, «wer zum Teufel hätte geglaubt, daß du ein Lord bist? Na, du bist genau so wie ich oder der nächstbeste Kerl; stimmt's, Alter? Und der Stutzer draußen, was herausgehüpft kam, als ich geklingelt habe, – ich gebe ja zu, daß der mir ziemlich Bammel eingejagt hat. Wer ist denn der? Der Erzbischof von Canterbury?»

«Oh», sagte Lord Coodle, «das ist der Butler.»

«Gut, ich will mich zum Teufel scheren», sagte Mr Fawcit.

«Na, hören Sie», sagte Lord Coodle nahezu entschlossen. «Sie müssen mich diese Sache sofort regeln lassen. Sie haben mir das Leben gerettet, und ich ...»

«Ich sag dir, was du tun kannst», bemerkte Mr Fawcit. «Ich habe, als ich die Auffahrt raufgekommen bin, prima Weintrauben in deinem Treibhaus gesehen. Zuhause hab ich ein paar Bengel, die alles darum geben würden, damit sie ein paar Trauben kriegen, wo von einem richtigen, lebenden Lord gezüchtet und abgeschnitten worden sind. Wie wär's, wir

pin' out and cuttin' a couple of bunches? Then we'll call it quits."

"Well, I'll certainly do that, but you must see it is not enough, and if ——"

"Listen to me, old man. I got my business, an' it pays me all right. I run a little greengrocery over by Cheam, an' it pays me very well. When I'm startin' out savin' lives as a going concern, I'll let yer know, see, old man?"

"This is most extraordinary!" sighed Lord Coodle.

"Now what about them grapes, old man?"

Lord Coodle stroked his pale hair and blinked.

"Ah, yes," he said.

They went out to the greenhouse. Most of the staff saw them go. The word went round. The butcher's boy was delivering meat as Lord Coodle and Mr Fawcit entered the greenhouse. He saw, he asked, he listened, he went away and talked. The word went farther round.

Grapes in hand, Mr Fawcit stood at the door of Coodle Hall chatting amiably to the bewildered Lord Coodle.

"Wife's brother," Mr Fawcit burst out, "name o' Joe Perks, is one o' these red-hot Reds. 'To the devil with lords!' says he. He wants to have yer all boiled in frying fat. Well, I reckon I can tell him a thing or two. 'You go to the devil,' I shall say to him. 'A pal o' mine is a lord, see? An' he's a devil of a fine feller. No side an' nonsense about him. Lord Coo-dle,' I shall say. And if he says, 'You go to the dev-il, what do you know about Lord Coodle?' I shall say, 'Well, I ought. I once fished him out of the canal when he was lit up.' Har! har! har!

"I'd like yer to meet Joe Perks," Mr Fawcit concluded. "It'd do him a devil of a lot o' good."

A carriage rolled up the drive and a very grand personage of the pretty fair sex alighted and came up the steps. This was none other than the Countess

flitzen raus und zwicken etliche Trauben ab? Dann sagen wir, daß wir quitt sind.»

«Nun, das werde ich gewiß tun, aber Sie müssen doch einsehen, daß das nicht genug ist, und wenn ...»

«Hör mir zu, Alter. Ich hab mein Geschäft, und es ernährt mich redlich. Ich betreib einen kleinen Gemüseladen drüben bei Cheam, der ernährt mich sehr gut. Wenn ich anfang, die Lebensrettung als ständigen Broterwerb auszuüben, geb ich dir Bescheid, verstehst du, Alter?»

«Das ist höchst ungewöhnlich!» seufzte Lord Coodle.

«Und was ist jetzt mit den Trauben, Alter?»

Lord Coodle strich sich über das helle Haar und blinzelte.

«Ach ja», sagte er.

Sie gingen hinaus zum Gewächshaus. Die meisten Bediensteten sahen sie gehen. Die Sache sprach sich herum. Der Metzgerjunge lieferte gerade Fleisch ab, als Lord Coodle und Mr Fawcit das Treibhaus betraten. Er sah, er fragte, er hörte zu, er ging weg und plauderte. Die Geschichte sprach sich weiter herum.

Mit den Trauben in der Hand stand Mr Fawcit an der Tür von Coodle Hall und plauderte freundschaftlich mit dem verstörten Lord Coodle.

«Der Bruder meiner Frau», platzte Mr Fawcit heraus, «namens Joe Perkins, ist einer von diesen hitzigen Roten. ‹Zum Teufel mit den Lords› sagt er. Er will euch alle in Bratenfett kochen lassen. Na, ich glaube, ich kann ihm ein paar Dinge sagen. ‹Scher du dich zum Teufel!› werde ich ihm sagen. ‹Ein Spezl von mir ist Lord, verstanden? Und er ist ein verdammt feiner Kerl. Keine Angeberei und Verrücktheit an ihm. Lord Coodle,› werde ich sagen. Und wenn er sagt: ‹Scher *du* dich zum Teufel! Was weißt denn du von Lord Coodle?›, dann sag ich: ‹Na, ich sollte wohl. Ich hab ihn einmal aus dem Kanal gefischt, als er benebelt war.› Ha! ha! ha!

«Ich hätte gern, daß du Joe Perks triffst», bemerkte Mr Fawcit zum Schluß. «Es würde ihm verdammt gut tun.»

Ein Wagen rollte die Auffahrt herauf, und eine sehr vornehme Persönlichkeit des anmutigen Geschlechts stieg aus und kam die Stufen herauf. Sie war niemand anders als die

Coodle, Lord Coodle's aunt, who helped him rule Coodle Hall until such time as some hopeless woman made up her mind to marry him. The Countess Coodle arched her eyebrows at her fluttered nephew and frowned at Mr Fawcit, who, however, merely grinned pleasantly in return.

"Mornin'," said Mr Fawcit. "Stinkin' weather, ain't it?"

The Countess Coodle said nothing. She swept on and through the portals of Coodle Hall and waited, boiling, in the hall.

"Well, so long, old man," said Mr Fawcit, taking Lord Coodle's fishy hand in his. "Be seein' yer again. Your old woman's waiting for yer in there."

"My – ah – my aunt," said Lord Coodle weakly.

"My mistake. Well, ta-ta! Be seein' yer again."

Mr Fawcit went down the steps. Lord Coodle went up the steps. At the bottom of the steps Mr Fawcit paused and turned round.

"Coo-ee! Oi!" he called.

Wincing, Lord Coodle turned.

"Thanks fer the grapes!" shouted Mr Fawcit.

He went off whistling. When he got home he told his wife about it.

Meantime the Countess Coodle was telling Lord Coodle about it.

"Reggie," she demanded, "tell me at once – who was that perfectly impossible person?"

"The – ah – the fact of the matter is, you see, dear old thing," said Lord Coodle limply, "I was a bit on last night and I slipped on a banana skin and fell in the canal. He fished me out. The fact of the matter is, he saved my life. I can't very well tick the perisher off. He's a perfectly perishing perisher, I know, but hang it! he saved my life. It's a bit of an infernal mess, I know, but I can't very well snub him, what? He even wouldn't take any reward. Hanged if I know what to do."

Gräfin Coodle, Lord Coodles Tante, die ihm half, Coodle Hall zu regieren, bis sich einmal irgendeine verzweifelte Frau entschloß, ihn zu heiraten. Gräfin Coodle wölbte die Augenbrauen – eine Geste, die ihrem beunruhigten Neffen galt, und sie blickte Mr Fawcit finster an, der dafür jedoch nur freundlich grinste.

«Morgn», sagte Mr Fawcit. «Scheißwetter, wie?»

Gräfin Coodle sagte nichts. Sie rauschte weiter, durch die Pforten von Coodle Hall, und wartete, kochend vor Wut, in der Empfangshalle.

«Na, bis dann, Alter!» sagte Mr Fawcit und nahm Lord Coodles kalte Hand in die seine. «Werde dich wieder aufsuchen. Deine Alte wartet da drinnen auf dich.»

«Meine – hm – meine Tante», sagte Lord Coodle mit schwacher Stimme.

«Mein Fehler. Nun, danke! Werde dich wieder aufsuchen.»

Mr Fawcit ging die Stufen hinunter. Lord Coodle ging die Stufen hinauf. Unten angelangt, hielt Mr Fawcit inne und drehte sich um.

«Oh! Hierbinii!» rief er.

Lord Coodle zuckte zusammen und wandte sich um.

«Danke für die Trauben!» brüllte Mr Fawcit.

Pfeifend entfernte er sich. Als er nach Hause kam, erzählte er seiner Frau davon.

Mittlerweile sprach Gräfin Coodle mit Lord Coodle darüber.

«Reggie», forderte sie, «sag mir sofort – wer war dieser völlig unmögliche Mensch?»

«Der – hm – der Sachverhalt, verstehst du, Tantchen, ist der», sagte Lord Coodle hilflos, «ich war gestern abend etwas beschwipst, rutschte auf einer Bananenschale aus und fiel in den Kanal. Er fischte mich heraus. Tatsache ist: er rettete mir das Leben. Ich kann den Lümmel nicht gut abfertigen. Er ist ein ganz verflixter Lümmel, ich weiß, aber zum Henker! er hat mir das Leben gerettet. Es ist schon ein höllischer Schlamassel, ich weiß, aber ich kann ihn nicht gut zusammenstauchen, oder? Er wollte nicht einmal eine Belohnung. Zum Henker, ich weiß nicht, was ich tun soll!»

"Well, so long as we see no more of him," said the Countess Coodle.

"Fact of the matter is, you see, old thing," said Lord Coodle, "the perisher seems to have taken a sort of fancy to me. He talks about coming again, you know. The fact of the matter is he talks about bringing his brother-in-law, or his wife's brother, or whatever he is. Joe Perks, you know, old thing. The – er – the Socialist."

"Good heavens!" cried the Countess Coodle.

The next day was Sunday. The Countess Coodle and Lord Coodle (by permission of the Countess) were entertaining at Coodle Hall the First Lord of the Inactivity, Sir William and Lady Nodd, and the Secretary for White Lines. In the afternoon they walked on the terrace to take the air.

Coming up the steps, but not for the purpose of taking the air, were two of the dirtiest children the Countess Coodle had ever seen. One of them carried a little wooden box, at the sight of which Lord Coodle wilted.

"'Ello!" said the boy child, beaming. "Please which is Lord Coodle?"

None ot the others admitting to it, in the circumstances, Lord Coodle had to step forward.

"Ah – I am Lord Coodle," he whispered.

"Please, farver's sent yer box back," said the boy child. "The one wot yer give 'im the gripes in!"

"An' please can me sister look at yer?" added the boy child daringly.

"Ah – I – ah – that is ..., here I am," faltered Lord Coodle.

"I want ter see the lord wot me farver fished out o' the canal," said the girl child. "I want to see the lord wot me farver fished out o' the can-a-a-al! I want to see the lord wot me farver fished out o' the can-a-a-al!"

«Nun, wenn wir ihn bloß nicht mehr sehen!» sagte die Gräfin Coodle.

«Die Sache ist ja die, meine Liebe», sagte Lord Coodle, «der Lümmel scheint irgendwie Gefallen an mir gefunden zu haben. Redet er doch davon, wiederzukommen. Die Sache ist die, daß er davon redet, seinen Schwager mitzubringen, oder den Bruder seiner Frau, oder was er ist. Joe Perks, weißt du, meine Liebe. Den – hm – Sozialisten.»

«Guter Gott!» rief die Gräfin Coodle aus.

Am nächsten Tag war Sonntag. Gräfin Coodle und Lord Coodle (mit Erlaubnis der Gräfin) bewirteten in Coodle Hall gerade den Ersten Lord der Trägheit, Sir William und Lady Nodd, sowie den Minister für Weiße Linien. Am Nachmittag ergingen sie sich auf der Terrasse, um frische Luft zu schöpfen.

Die Treppe herauf, aber nicht zu dem Zweck, frische Luft zu schöpfen, kamen zwei der schmutzigsten Kinder, welche die Gräfin Coodle je gesehen hatte. Eines von ihnen trug eine kleine Holzkiste, bei deren Anblick Lord Coodle der Mut verließ.

«Allo!» sagte das eine Kind, ein Bub, und strahlte. «Welcher, bitte, ist Lord Coodle?»

Da unter den gegenwärtigen Umständen keiner der anderen sich dazu bekannte, mußte Lord Coodle vortreten.

«Hm – ich bin Lord Coodle», flüsterte er.

«Bitte, Vadder schickt dir deine Kiste zurück», sagte das Kind. «Die wo du ihm die Trauben drin gegebn hast.»

«Und bitte kann meine Schwester dich anschauen?» fügte der Bub wagemutig hinzu.

«Ah – ich – ah – das heißt ... da bin ich», stammelte Lord Coodle.

«Ich mecht den Lord segn, wo mein Vadder ausm Kana-a-a-l gfischt hat», sagte das Mädchen. «Ich mecht den Lord segn, wo mein Vadder ausm Kana-a-a-l gfischt hat. Ich mecht den Lord segn, wo mein Vadder ausm Kana-a-a-l gfischt hat.»

"Very peculiar!" remarked Sir William Nodd.

"The fact of the matter is, old man," Lord Coodle explained, "I fell in the canal the other night, and this – ah – this – ah – child's father – ah – fished me out, you see, old man."

"Saved your life?" snapped Sir William Nodd.

"The fact of the matter is, old man, he did," confessed Lord Coodle.

"You was ti-i-ight!" shouted the two dirty children. "Farver says you was ti-i-ight!"

Lord Coodle hastily dragged a florin out of his pocket and threw it at the children. By the simple process of treading on his sister's hand the boy child contrived to secure it. They then ran away down the steps and pulled up ten yards along the drive. Here they stood and waved.

"Oo-oo! Lord Coodle! Oo-oo!" they cried.

They ran another ten yards and pulled up again.

"Oo-oo! Lord Coodle! Oo-oo!" they cried once more.

This time they ran as far as the gates, where they climbed up to the top of the rails and settled as if for ever.

"Oo-oo! Lord Coodle! Oo-oo! Lord Coodle! Oo-oo! Oo-oo!"

"Remarkably odd!" remarked the Secretary for White Lines.

"Good gracious!" exclaimed the Countess Coodle, leading the way into Coodle Hall.

A chronicle has its limits, particularly its time limits. We must pass over in the very briefest manner the minor hauntings of Lord Coodle by the man who fished him out of the canal. The occasion on which Mr Herbert Fawcit discovered Lord Coodle at the local horticultural show, took him by the arm and spent an hour with him, must be recounted in detail elsewhere. The Press, for example, contains a

«Sehr sonderbar!» bemerkte Sir William Nodd.

«Die Sache ist die, mein Lieber», erklärte Lord Coodle, «ich bin neulich abend in den Kanal gefallen, und der Vater dieses – hm – dieses Kindes, – hm – wissen Sie, mein Lieber, hat mich herausgefischt.»

«Hat Ihnen das Leben gerettet?» fragte Sir William Nodd gleich.

«So ist es, mein Lieber. Das ist der Sachverhalt», gestand Lord Coodle.

«Du bist blauuu gwesn!» brüllten die beiden schmutzigen Kinder. «Vadder hat gsagt, daß du blauuu gwesn bist!»

Lord Coodle zog schnell ein Zweischillingstück aus der Tasche und warf es den Kindern zu. Dem Buben gelang es, sich die Münze zu sichern, indem er einfach auf die Hand seiner Schwester trat. Dann rannten sie fort, die Treppe hinunter und blieben zehn Meter entlang der Auffahrt stehen. Von dort aus winkten sie.

«Huuu! Lord Coodle! Huuu!» riefen sie.

Dann liefen sie nochmals zehn Meter und blieben wieder stehen.

«Huuu! Lord Coodle! Huuu!» riefen sie wieder.

Diesmal rannten sie bis zu den Toren, wo sie bis zu den obersten Querstreben hinaufkletterten und sich niederließen, als wollten sie für immer dort bleiben.

«Huuu! Lord Coodle! Huuu! Lord Coodle! Huuu! Huuu!»

«Außerordentlich sonderbar!» bemerkte der Minister für Weiße Linien.

«Lieber Himmel!» rief die Gräfin Coodle und ging ins Haus voran.

Eine Chronik hat ihre Grenzen, besonders ihre zeitlichen. Wir müssen über die kleineren Belästigungen von Lord Coodle durch den Mann, der ihn aus dem Kanal fischte, hinweggehen, können sie nur ganz knapp erwähnen. Die Gelegenheit, bei der Mr Herbert Fawcit Lord Coodle auf der örtlichen Gartenschau entdeckte, ihn am Arm nahm und eine Stunde mit ihm verbrachte, muß im einzelnen an anderer Stelle wieder erzählt werden. In der Presse, zum Beispiel,

very full report. And there was that time when an enterprising Press photographer, having got hold of part of the story of Mr Fawcit's plucky rescue, took Mr Fawcit by the arm, led him to Coodle Hall, and photographed them together. The day on which the photograph appeared in the *Daily Snap* was Black Monday at Coodle Hall.

One weekend Lord Coodle had been entertaining the Hon. Vera Highgate at Coodle Hall (still by permission of the Countess Coodle), and it looked very much as if the Hon. Vera was to be the prime fool for whom Lord Coodle had so long waited. On the Monday morning he commanded his chauffeur to get out the Rolls-Royce and drive the Hon. Vera and himself into town. This the chauffeur did.

But when they were in the High Street, half a mile or so from the gates of Coodle Park, a fatal figure leapt out from the kerb and threw up an arm. The chauffeur banged on the brakes and brought the big car to a standstill. The door opened. Mr Herbert Fawcit got in.

"Hallo, old man!" he said gaily. "Sorry to interrupt yer, but yer might drop me orf at Putney. I got some sprouts here that's a special order, an' hang me if I ain't missed the bus. Yer don't mind, old man?"

"Er – er – quite," said Lord Coodle, turning crimson.

"Then that's all right, old man," said Mr Fawcit. "Knew I could depend on you, eh? There'd ha' been no end of a row if Mrs Thingummy hadn't had these 'ere sprouts in time. Oh, well, it's all right now."

His eye settled definitely on the Hon. Vera for the first time.

"Mornin', miss," he said pleasantly. "Havin' some rotten weather, eh?"

The Hon. Vera sniffed. And having sniffed, she sniffed again.

stand ein sehr ausführlicher Bericht. Und dann gab es die Zeit, da ein verwegener Pressefotograf, der einen Teil der Geschichte von Mr Fawcits mutiger Rettungstat aufgegabelt hatte, Mr Fawcit am Arm packte, mit ihm nach Coodle Hall fuhr und die beiden zusammen fotografierte. Der Tag, an dem das Foto in der *Daily Snap* erschien, war auf Coodle Hall der Schwarze Montag.

An einem Wochenende hatte auf Coodle Hall Lord Coodle die Ehrenwerte Vera Highgate empfangen (immer noch mit Erlaubnis der Gräfin Coodle), und es sah ganz danach aus, als wäre die Ehrenwerte Vera die erste Närrin, auf die Lord Coodle so lange gewartet hatte. Am Montagmorgen trug er seinem Fahrer auf, den Rolls-Royce herauszuholen und die Ehrenwerte Vera sowie ihn selbst in die Stadt zu fahren. Der Fahrer tat das.

Als sie aber in der Hauptstraße waren, etwa eine Meile von den Toren des Coodle-Parks entfernt, sprang eine unselige Gestalt vom Randstein herunter und hielt einen Arm hoch. Der Fahrer trat heftig auf die Bremsen und brachte den großen Wagen zum Stehen. Die Tür ging auf. Mr Herbert Fawcit stieg ein.

«Hallo, Alter!» sagte er fröhlich. «Tut mir leid, dich aufzuhalten, aber du könntest mich in Putney rauslassen. Ich hab hier ein paar Rosenkohlköpfe, das ist ein besonderer Auftrag, und verdammt, ich habe den Bus versäumt. Es macht dir doch nichts aus, Alter?»

«Hm – hm – allerdings», sagte Lord Coodle, der puterrot wurde.

«Dann ist's ja recht, Alter», sagte Mr Fawcit. «Hab gewußt, daß ich mich auf dich verlassen kann, wie? Es hätte einen Mordsstunk gegeben, wenn die Frau Dings den Rosenkohl nicht rechtzeitig gekriegt hätte. Aber nun ist alles gut.»

Erst jetzt fiel sein Blick auf die Ehrenwerte Vera und blieb an ihr haften.

«Morgn, Fräulein», sagte er freundlich. «Was für ein Sauwetter, wie?»

Die Ehrenwerte Vera rümpfte die Nase. Und nachdem sie die Nase gerümpft hatte, rümpfte sie noch einmal die Nase.

"Eucalyptus, miss," said Mr Fawcit, "is what you want."

He tapped Lord Coodle's knee.

"I 'ear my kids was up to see you the other day, old man," he said.

"Er – ah – the fact of the matter is, they were," said the now purple Lord Coodle.

"Give any sauce?"

Lord Coodle fumbled with his necktie.

"Saucy little devils, you know," Mr Fawcit confided. "Yer know what kids are, miss," he appealed to the Hon. Vera. And then once more to Lord Coodle: "If they start givin' you any sauce, don't stand for it, old man. Clout their heads and put 'em out. 'Swat I allus do."

They came to Putney and Mr Fawcit tapped wildly on the window to attract the chauffeur's attention.

"Oi! You! Owen Nares! Pull up!"

He alighted.

"Well, thanks for the buggy ride, old man. Be seein' you again. Good mornin', miss. Pleez tuv mecha. On away, Owen Nares! Let 'er 'ave it!"

He was gone. But one sprout remained.

Gone, too, were Lord Coodle's chances with the Hon. Vera.

It was no use explaining that once upon a time that fellow had saved Lord Coodle's life. Lord Coodle tried explaining for an hour. Then he gave it up.

That evening he explained again at even greater length – to his aunt, the Countess Coodle.

"Good heavens!" exclaimed the Countess. "This is the last straw! This is just as far as we can permit it to go! This is the end!"

"Do you know, I think so too," said the agitated Lord Coodle. "But I mean to say, what can a chappie do? After all, if it hadn't been for him, I'd not be

«Eukalyptus, Fräulein», sagte Mr Fawcit, «das ist's, was Sie brauchen.»

Er klopfte Lord Coodle ans Knie.

«Ich hab gehört, daß meine Bengel dich neulich besucht haben, Alter», sagte er.

«Hm – ach ja – stimmt», sagte der jetzt feuerrote Lord Coodle.

«Sind sie unverschämt gewesen?»

Lord Coodle fummelte an seiner Krawatte herum.

«Sind ja freche Teufelchen», bemerkte Mr Fawcit vertraulich. Sie wissen doch, wie Kinder sind, Fräulein», wandte er sich an die Ehrenwerte Vera. Und dann nochmal an Lord Coodle: «Wenn sie anfangen, unverschämt daher zu reden, lass dir's nicht gefallen, Alter! Schlag sie auf den Schädel und wirf sie raus. Mach ich immer so.»

Sie kamen nach Putney, und Mr Fawcit klopfte wild an die Trennscheibe, um den Fahrer aufmerksam zu machen.

«He! Du! Owen Nares! Stop!»

Er stieg aus.

«Gut, schönen Dank fürs Mitfahren, Alter. Werde dich wiedersehen. Gutn Morgn, Fräulein. Schön, daß ich Sie getroffen habe. Fort und weiter, Owen Nares! Gib ordentlich Gas!»

Weg war er. Doch ein Rosenkohl blieb zurück.

Weg waren auch Lord Coodles Chancen bei der Ehrenwerten Vera.

Es hatte keinen Zweck, darzulegen, daß dieser Kerl einmal Lord Coodle das Leben gerettet hatte. Eine Stunde lang versuchte Lord Coodle das zu erklären. Dann gab er es auf.

An jenem Abend rechtfertigte er sich wieder und sogar ausführlicher – seiner Tante, der Gräfin Coodle, gegenüber.

«Ach, du lieber Himmel!» rief die Gräfin aus. «Jetzt reicht es aber! Das ist genau die Grenze; weiter dürfen wir es nicht kommen lassen. Das ist das Ende!»

«Weißt du, das denke ich ja auch», sagte der erregte Lord Coodle. «Doch ich will sagen: Was kann man denn tun? Schließlich wäre ich nicht hier, wenn er nicht gewesen wäre.

here. He *did* save my life. A chappie can't perishing well *snub* him. Dammit!"

"I am asking you to do nothing," said the Countess Coodle. "You're not firm enough to do anything. You haven't the spine! Leave the doing to me."

"So long as you don't snub the perisher," wailed Lord Coodle.

"Snub him! Good heavens!" cried the Countess.

She wrote a letter and drew a cheque for five hundred pounds. And the next night Lord Coodle had the misfortune to meet Mr Herbert Fawcit in the High Street.

"Coo-ee! Oi!" cried Mr Fawcit, ploughing his way through the crowds. "'Arf a tic-tac, old man. I want to have a word with you. 'Ere! Will yer come an' have one?"

"Do you know," said Lord Coodle, "the fact of the matter is, no."

"All righto! We can talk just as well 'ere. Now, then, I got a letter from the old hen up at your place, today – Countess Wossername."

"Ah – my aunt," sighed Lord Coodle.

"Same bird," said Mr Fawcit. "She enclosed five hundred quid. Now, I been thinkin' it over, and I've decided to keep that five 'undred quid."

"Quite right," said Lord Coodle. "Exactly. Proper thing to do. Can't insult a lady, you know."

"'Tain't that I want to talk about," said Mr Fawcit. "She says in her letter that *you* don't want to see *me* no more!"

"Oh – ah – er – well," faltered Lord Coodle, "I meant to say, my dear chap ——"

"Now, what have I ever done to 'er?" Mr Fawcit insisted.

"Do you know," said Lord Coodle timidly, "nothing!"

"Well, then! An' wot have I done for you?"

"Ah!" said Lord Coodle.

Er hat mir *wirklich* das Leben gerettet. Ich kann ihn doch, verflixt nochmal, nicht *zusammenstauchen*.»

«Ich bitte dich jetzt, nichts zu tun», sagte die Gräfin Coodle. «Du bist nicht stark genug, etwas zu tun. Du hast nicht den Mumm. Überlass mir das Handeln!»

«Solange du den Lümmel nicht zusammenstauchst», jammerte Lord Coodle.

«Ihn zusammenstauchen! Du lieber Himmel!» rief die Gräfin.

Sie schrieb einen Brief und stellte einen Scheck über fünfhundert Pfund aus. Und am nächsten Abend hatte Lord Coodle das Mißgeschick, Mr Fawcit auf der Hauptstraße zu treffen.

«Oh! Hierbinii!» rief Mr Fawcit, der sich seinen Weg durch die Menge bahnte. «Eine Minute, Alter! Ich möchte gern mit dir ein Wort reden. Hör zu, hast du Zeit für mich?»

«Wissen Sie», sagte Lord Coodle, «tatsächlich: nein.»

«Ist schon recht. Wir können ebensogut hier plaudern. Also, ich habe heute von der alten Henne, die bei dir im Haus wohnt, von der Gräfin Wieheißtsieschnell, einen Brief gekriegt.»

«Ach – von meiner Tante», seufzte Lord Coodle.

«Von eben dem Vogel», sagte Mr Fawcit. «Sie hat fünfhundert Pfund beigelegt. Nun, ich habe mir die Sache überlegt und beschlossen, die fünfhundert Pfund zu behalten.»

«Ganz in Ordnung», sagte Lord Coodle. «Genau. Gehört sich so. Können doch ein Dame nicht beleidigen.»

«Aber das ist es nicht, worüber ich reden will», sagte Mr Fawcit. «Sie sagt in ihrem Brief, daß *du mich* nicht mehr sehen willst.»

«Oh – ach – hm – na ja», stotterte Lord Coodle. «Ich wollte sagen, mein Lieber...»

«Na, was hab ich ihr denn getan?» wollte Mr Fawcit unbedingt wissen.

«Also wissen Sie», sagte Lord Coodle kleinlaut, «gar nichts!»

«Gut! Und was hab ich *für* dich getan?»

«Oh!» sagte Lord Coodle.

"Wouldn't you have been in Jericho, if I hadn't toddled along that night you was stewed an' fell in the canal?"

"Ah?" said Lord Coodle stupidly.

"Well then – is this any way to treat a pal – wot saved yer life? Eh?"

Mr Fawcit was shouting. People were stopping to listen. Lord Coodle was hot and red all over.

"Saved yer life!" bawled Mr Fawcit. "An' then – this sort o' thing! Hell fire! An' I thought we was friends."

Something had to be done.

"The fact of the matter is, my dear fellow," said Lord Coodle – "you know what women are!"

"Ah!" Mr Fawcit appeared to leap for joy. "Just what my old woman said. She said it was none o' your doin'. She said a fine gentleman like you, old man, wouldn't do the dirty on the likes o' me like that. And so you'd nothin' whatever to do with that letter?"

"Nothing whatever, my dear fellow, I assure you," said Lord Coodle, wiping his brow.

"Then I'm sorry I spoke, old man," said Mr Fawcit. "And now come an' have one."

"Really – I – er..."

"*Come – and – have – one!*" insisted Mr Fawcit.

And Lord Coodle, just in order to get away from the crowd, went and had one. People point out the pub to this day.

For a whole week Lord Coodle stayed indoors, moping. His aunt and he were not on speaking terms for six out of the seven days. She showed her contempt for him by ignoring his presence. On the seventh day they had words and he barged out of the house and went for a walk down the drive to cool off. Presently he came to the gates. And presently he heard a joyous yell from over the way.

«Wärst du nicht schon im Himmelreich, wenn ich damals an dem Abend, wo du blau gewesen und in den Kanal gefallen bist, nicht angetanzt wäre?»

«Oh!» sagte Lord Coodle dümmlich.

«Na schön – und ist das etwa die Art, wie man einen Kumpel behandelt – wo einem das Leben gerettet hat? Hm?»

Mr Fawcit brüllte. Leute blieben stehen, um zu lauschen. Lord Coodle wurde aufgeregt und feuerrot.

«Das Leben hab ich dir gerettet!» brüllte Mr Fawcit. «Und dann so was! Zum Deifel! Und ich hab geglaubt, wir wärn Freunde.»

Es mußte etwas getan werden.

«Es ist ja so, mein Lieber», sagte Lord Coodle – «Sie wissen doch, wie Frauen sind!»

«Oh!» Mr Fawcit schien vor Freude hochzuhüpfen. «Genau was meine Alte sagte. Sie hat gesagt, daß du damit nichts zu tun hast. Sie hat gesagt, ein feiner Mann wie du, mein Lieber, würde einem wie mir keinen dermaßen dreckigen Streich spielen. Und du hast also mit diesem Brief überhaupt nichts zu tun gehabt?»

«Überhaupt nichts, mein Lieber, ich versichere es Ihnen», sagte Lord Coodle und wischte sich die Stirn.

«Dann tut's mir leid, daß ich etwas gesagt habe, Alter», sagte Mr Fawcit. «Und jetzt komm, lass uns einen heben!»

«Wirklich – ich – hm …»

«Komm und lass uns einen heben!» beharrte Mr Fawcit.

Und Lord Coodle ging mit ihm einen trinken, bloß um von der Menschenmenge wegzukommen. Bis zum heutigen Tag macht man auf diese Kneipe aufmerksam.

Eine ganze Woche lang blieb Lord Coodle zu Hause und blies Trübsal. Sechs von den sieben Tagen sprachen seine Tante und er nicht miteinander. Sie zeigte ihm ihre Verachtung, indem sie seine Anwesenheit nicht zur Kenntnis nahm. Am siebten Tag stritten sie sich, und er stürmte aus dem Haus und ging die Auffahrt hinunter, um einen Spaziergang zu machen und Dampf abzulassen. Bald war er am Tor. Da hörte er ein fröhliches Geschrei von der anderen Seite des Wegs.

"Oo-oo! Lord Coo-oo-dle! Oo-oo! Oo-oo!"

He raised his weary eyes and saw them, the two dirty brats of Mr Herbert Fawcit, leaning over the gate of the nearest villa of the garden suburb, opposite the gates of Coodle Park. And then he saw Mr Fawcit himself come out of the house and cuff the brats on the ears and send them indoors. And then he was aware of Mr Fawcit himself standing by his side.

"Remember that five hundred quid?" said Mr Fawcit merrily. "I just bought this little kip with it. Bang opposite your gates, old man. Nice little place, too. I tell yer wot – come in an' have a look round. You've never met the wife, have you? She'll be as bucked as the devil to meet a real live lord."

"The fact of the matter is, my dear fellow," said Lord Coodle, "some other time."

He took a sinister delight in informing the Countess of the results of her handiwork.

"You've now got 'em, dear old thing," he said, "bang on the doorstep. I may be a perfectly perishin' fool and all that, but I mean to say! Bang on the jolly old dashed doorstep, old thing – and all through your perishin' butting-in. This is the last straw, this is!"

"Good heavens!" exclaimed the Countess.

These are the facts.

On the dark night of 23 June 1927, a policeman discovered a beautiful tall hat by the side of the Wimbledon Canal, five hundred yards from the gates of Coodle Park. By the side of the hat was a dog.

Five minutes later, from out the canal, the policeman was dragging Lord Coodle, of Jermyn Mansions and Coodle Park, in the county of Surrey, three-quarters drowned.

And there was no banana skin on the towing-path.

«Huuu! Lord Coo-oodle! Huuu! Huuu!»

Er hob seine müden Augen und sah sie, die beiden schmutzigen Bengel von Mr Herbert Fawcit, wie sie sich über das Tor des nächstgelegenen Hauses des Gartenvororts, gegenüber den Toren des Coodle-Parks, herüberlehnten. Und dann sah er, daß Mr Fawcit selber aus dem Haus kam, die Fratzen ohrfeigte und hineinschickte. Und dann merkte er, wie Mr Fawcit selber neben ihm stand.

«Erinnerst du dich an die fünfhundert Pfund?» sagte Mr Fawcit fröhlich. «Ich habe mir gerade diese kleine Bude damit gekauft. Genau gegenüber von deinen Toren, Alter. Auch ein nettes Plätzchen. Ich sag dir was – komm rein und schau dich ein wenig um! Du hast nie meine Frau getroffen, stimmt's? Sie wird eine Mordsfreude haben, wenn sie einen echten, leibhaftigen Lord sieht.»

«Die Sache ist die, mein Lieber», sagte Lord Coodle, «ein andermal.»

Er fand ein unheimliches Vergnügen daran, die Gräfin von den Ergebnissen ihres persönlichen Werkes zu unterrichten.

«Jetzt hast du, Tantchen», sagte er, «die Leute genau vor der Tür. Ich mag ja ein ganz und gar verfluchter Narr und dergleichen sein, doch ich will damit sagen: genau vor der netten alten verflixten Türschwelle, Tantchen – und alles wegen deiner verdammten Einmischung. Das ist die Höhe, wirklich!»

«Du lieber Himmel!» rief die Gräfin.

Dies ist der Sachverhalt.

In der dunklen Nacht des 23. Juni 1927 entdeckte ein Polizist einen schönen Zylinder neben dem Wimbledon-Kanal, fünfhundert Meter von den Toren des Coodle-Parks entfernt. Neben dem Zylinder saß ein Hund.

Fünf Minuten später war der Polizist damit beschäftigt, Lord Coodle vom Herrenhaus Jermyn und dem Coodle-Park in der Grafschaft Surrey aus dem Kanal zu ziehen – zu drei Vierteln ertrunken.

Und da lag keine Bananenschale auf dem Treidelpfad.

Anmerkungen

Seite 12, Zeile 12 Crimea: Gemeint ist the Crimean War, der Krimkrieg (1853-56), zwischen Russland auf der einen, England, Frankreich und der Türkei auf der anderen Seite.

Seite 18, Zeile 6 The Five Towns: In den Romanen von Arnold Bennett heißen die Orte Tunstall, Burslem, Hanley, Stoke-on-Trent und Longton. Sie bilden heute den Städteverbund Stoke-on-Trent, bestehend aus Turnhill, Bursley, Hanbridge, Knype und Longshaw.

Seite 48, Zeile 19 Tennyson, Alfred (1809-92) und Pope, Alexander (1688-1744): berühmte englische Dichter.

Seite 50, Zeile 26 Amo, amas, amat: die Konjugation des lateinischen Wortes amare: Ich liebe, du liebst, er/sie liebt.

Seite 60, Zeile 21 Gilbert und Sullivan: Der Librettist Gilbert (1836-1911) und der Komponist Sullivan (1842-1900) schufen eine große Zahl oft gespielter komischer Opern, die vor allem Gesellschaftssatire enthielten. Da die meisten im Savoy-Theater aufgeführt wurden, werden sie auch «Savoy-Opern» genannt.

Seite 62, Zeile 10 «Poet and Peasant», «Dichter und Bauer»: Operette von Franz von Suppé (1819-1895).

Seite 62, Zeile 11 «Zampa»: Oper des französischen Komponisten Louis Joseph Ferdinand Hérold (1791-1833).

Seite 62, Zeile 14 «1812»: Programmusik von Peter Tschaikowskij (1840-1893), zum 50. Jahrestag der Schlacht von Borodino geschrieben.

Seite 64, Zeile 2 Chopsticks: eine einfache Melodie für Klavier, gespielt mit zwei gestreckten Fingern («chopsticks» sind Eßstäbchen; der Vergleich rührt wahrscheinlich von der Fingerhaltung her).

Seite 64, Zeile 3 «The Merry Peasant», «Der fröhliche Landmann»: Vielgespieltes Klavierstück von Robert Schumann (1810-1856).

Seite 68, Zeile 1 «Noël» (französisch): Weihnachten; «Joël» (französisch-jüdischer Vorname): Joël war einer der zwölf kleinen Propheten, um 400 v. Chr.

Seite 104, Zeile 1 housemaster: an britischen *public schools* ein Internatsvorsteher.

Seite 104, Zeile 8, 9 Marlborough, Rugby: namhafte englische *public schools*.

Seite 110, Zeile 16 «The Times Literary Supplement»: bekannteste englische Literaturzeitung.

Seite 114, Zeile 2 Pinner: zu Groß-London gehörig; im Nordwesten der Metropole.

Seite 114, Zeile 3 Hugh Walpole (1884-1941); Romanschriftsteller, Kritiker und Dramatiker.

Seite 120, Zeile 13 Othello: Titelheld der gleichnamigen Tragödie von Shakespeare, der aus Eifersucht seine Desdemona ermordet.

Seite 120, Zeile 22 Lloyd's: internationaler Versicherungsmarkt in der City of London, ursprünglich nur für Schiffe, heute für alle Arten von Versicherungen.

Seite 146, Unter-Überschrift «the proverbial apple»: Es bleibt dem Leser überlassen, ob er an den Apfel denkt, den Eva im Paradies dem Adam gereicht hat oder an den aus der griechischen Mythologie bekannten Zankapfel (apple of discord).

Seite 164, Zeile 7 Cheam: Städchen im Südwesten von London.

Seite 168, Zeile 13-15 the First Lord of the Inactivity, the Secretary for White Lines: satirische Bezeichnungen für die Posten hochrangiger Politiker.

Seite 172, Zeile 6 the «Daily Snap»: fiktive Bezeichnung für eine satirische Zeitung (snap: zuschnappen).

Seite 172, Zeile 6, 7 Black Monday: angeblich der 14. April 1360, Ostermontag (die Datierung stimmt nicht). Edward III. lag mit seinem Heer vor Paris; der Tag war so bitter kalt und windig, daß viele seiner Soldaten und Pferde starben.

Bio-bibliographische Notizen

Herbert Ernest Bates (1905-74), Autor von abenteuerlichen Seegeschichten und krass realistischen Kriegsromanen (Birma). Sehr bekannt sind seine Bücher über die Familie Larkin. «Silas the Good» aus «My Uncle Silas», © 1939 Jonathan Cape, London. Rechte an der Übersetzung beim dtv.

Arnold Bennett (1867-1931) gelangte zu Ruhm durch Romane, in denen er das Leben in seiner Heimat, dem Töpfereibezirk von Staffordshire, schildert («Anna of the Five Towns», 1902; «The Old Wives' Tales», 1908; «Clayhanger», 1910). Außer dreißig Romanen schrieb Bennett Kritiken, Essays und Dramen. Künstlerisch war er vor allem von Flaubert, Balzac und seinem Landsmann George Moore beeinflußt. Ein achtjähriger Aufenthalt in Paris hatte ihn zum Kosmopoliten gemacht, aber zeitlebens bewahrte er sich ein Verständnis für das kleinbürgerliche Leben der Provinz. «The Burglary» fanden wir in «The Folio Anthology of Humour», London 1992. Rechte an der Übersetzung beim dtv.

Iain Crichton-Smith (1928-1998) schrieb Erzählungen und Gedichte in schottisch-gälischer und englischer Sprache. «Mr Heine» aus «Murdo & other Stories», London 1981. Lizenz für die deutsche Publikation von Carcanet Press Limited, Manchester. Rechte an der Übersetzung beim dtv.

Harry Graham (1874-1936) machte sich nach seinem Ausscheiden aus der Offizierslaufbahn einen Namen als Autor humorvoller Geschichten und Verse. Am bekanntesten sind seine «Ruthless Rhymes for Heartless Homes». «Biffin on the Bassoon» fanden wir in «The Folio Anthology of Humour», London 1992. Rechte an der Übersetzung beim dtv.

Graham Greene (1904-91), Autor von Romanen, Dramen, Kurzgeschichten, Reisebüchern, Biographien, hat eine Vorliebe für schäbige Schauplätze und moralische Zwangslagen.

Seine Laufbahn als «katholischer Schriftsteller» begann er mit «Brighton Rock» (1938); seine unorthodoxen Ansichten brachten ihn oft in Konflikt mit der Lehrmeinung der Kirche. «A Shocking Accident» aus Graham Greene, Erzählungen. © 1977 Paul Zsolnay Verlag, Wien.

William Wymark Jacobs (1863-1943). Am besten als Autor von Kurzgeschichten bekannt, von denen viele durch ihren Humor bestechen. Ein großer Teil davon erschien in Jerome K. Jeromes Zeitschriften «Idler» und «Strand». «The Grey Parrot» fanden wir in «The Folio Anthology of Humour», London 1992. Rechte an der Übersetzung beim dtv.

Will Scott hat als Karikaturist und Schwarz-Weiß-Zeichner angefangen; als Schriftsteller begann er 1920 und schrieb über tausend Kurzgeschichten, vier Romane und zwei Theaterstücke. «The Life of Lord Coodle» fanden wir in «The Folio Anthology of Humour», The Folio Society, London 1992. Weder bei diesem Verlag noch sonstwo konnten wir mehr als den hier mitgeteilten Hinweis auf den Autor erhalten.

....

I had a new car. It was an exciting toy, a big B.M.W.
3.3 Li, which means 3.3 litre, long wheelbase, fuel
injection. It had a top speed of 129 m.p.h. and terrific
acceleration. The body was pale blue. The seats
inside were darker blue and they were made of
leather, genuine soft leather of the finest quality.
The windows were electrically operated and so was
the sun-roof. The radio aerial popped up when I
switched on the radio, and disappeared when I
switched it off. The powerful engine growled and
grunted impatiently at slow speeds, but at sixty
miles an hour the growling stopped and the motor
began to purr with pleasure.

I was driving up to London by myself. It was a
lovely June day. They were haymaking in the fields
and there were buttercups along both sides of the
road. I was whispering along at seventy miles an
hour, leaning back comfortably in my seat, with no
more than a couple of fingers resting lightly on the
wheel to keep her steady. Ahead of me I saw a man
thumbing a lift. I touched the footbrake and brought
the car to a stop beside him. I always stopped for
hitchhikers. I knew just how it used to feel to be
standing on the side of a country road watching the
cars go by. I hated the drivers for pretending they
didn't see me, especially the ones in big cars seldom
stopped. It was always the smaller ones that offered
you a lift, or the old rusty ones, or the ones that
were already crammed full of children and the driver
would say, "I think we can squeeze in one more."

The hitchhiker poked his head through the open
window and said, "Going to London, guv'nor?"

"Yes," I said. "Jump in."

He got in and I drove on.

He was a small ratty-faced man with grey teeth.
His eyes were dark and quick and clever, like a rat's
eyes, and his ears were slightly pointed at the top.

. . . .

Ich hatte einen neuen Wagen. Es war ein aufregendes Spiel-
zeug, ein großer BMW, 3.3 Liter, weiter Radstand, Einspritz-
motor. Seine Höchstgeschwindigkeit betrug 129 Meilen in
der Stunde, seine Beschleunigung war gewaltig. Die Karosse-
rie war hellblau, die Sitze waren in einem dunkleren Blau
gehalten und aus Leder, echtem weichen Leder der feinsten
Art. Die Fenster und das Sonnendach ließen sich elektrisch
öffnen und schließen. Die Radioantenne fuhr aus, sobald ich
das Radio einschaltete und verschwand, wenn ich es ausdreh-
te. Bei langsamer Fahrt knurrte und brummte der mächtige
Motor ungeduldig, aber bei 60 Meilen hörte das Brummen
auf, und der Motor begann vergnüglich zu schnurren.

Ich war gerade unterwegs nach London und steuerte den
Wagen selbst. Es war ein herrlicher Tag im Juni. Auf den Fel-
dern wurde Heu gemacht, und entlang der Straßenseiten
blühte der Hahnenfuß. Ich rauschte mit siebzig Meilen dahin,
lehnte mich behaglich im Sitz zurück und nur zwei Finger
ruhten leicht auf dem Lenkrad, um Kurs zu halten. Vor mir
sah ich einen Mann, der mit dem Daumen um Mitnahme bat.
Ich trat auf die Bremse und brachte den Wagen neben ihm
zum Stehen. Anhalter nahm ich immer mit, wusste ich doch,
wie einem zumute ist, wenn man neben einer Landstraße
steht und die Autos vorbeifahren sieht. Die Fahrer, die so
taten, als sähen sie mich nicht, hasste ich, besonders die in
großen Wagen mit drei leeren Sitzen. Die wuchtigen, teuren
Wagen hielten selten an. Immer waren es die kleineren, die
einen mitfahren ließen, oder die alten Rostlauben, oder solche, die schon vollgestopft mit Kindern waren. Der Fahrer
sagte dann gewöhnlich: «Ich glaube, wir können noch einen
reinzwängen.»

Der Anhalter streckte den Kopf durch das offene Fenster
und fragte: «Fahren Sie nach London, Chef?»

«Ja», sagte ich, «springen Sie rein!»

Er stieg ein, und ich fuhr weiter.

Er war ein kleiner, unansehnlicher Mann mit grauen Zäh-
nen. Seine Augen waren dunkel, hellwach und schlau, wie die
Augen einer Ratte, und seine Ohren liefen nach oben spitz

He had a cloth cap on his head and he was wearing a greyish-coloured jacket with enormous pockets. The grey jacket, together with the quick eyes and the pointed ears, made him look more than anything like some sort of a huge human rat.

"What part of London are you headed for?" I asked him.

"I'm goin' right through London and out the other side," he said. "I'm goin' to Epsom, for the races. It's Derby Day today."

"So it is," I said. "I wish I were going with you. I love betting on horses."

"I never bet on horses," he said. "I don't even watch 'em run. That's a stupid silly business."

"Then why do you go?" I asked.

He didn't seem to like that question. His little ratty face went absolutely blank and he sat there staring straight ahead at the road, saying nothing.

"I expect you help to work the betting machines or something like that," I said.

"That's even sillier," he answered. "There's no fun working them lousy machines and selling tickets to mugs. Any fool could do that."

There was a long silence.

zu. Er hatte eine Stoffmütze auf und trug eine gräuliche Jacke mit riesigen Taschen. Hauptsächlich die graue Jacke, zusammen mit den wachen Augen und den spitz zulaufenden Ohren erinnerten irgendwie an eine Art riesige menschliche Ratte.

«In welchen Teil von London wollen Sie denn?» fragte ich ihn.

«Ich fahre gerade durch London durch und auf der anderen Seite wieder hinaus», sagte er. «Nach Epsom, zu den Rennen. Heute ist ja Derbytag.»

«Stimmt», sagte ich. «Ich wollte, ich könnte mit Ihnen fahren. Ich setze gern auf Pferde.»

«Ich setze nie auf Pferde», sagte er. «Ich schaue ihnen nicht einmal zu, wenn sie laufen. Das ist blöd und dämlich.»

«Warum fahren Sie dann hin?» wollte ich wissen.

Diese Frage hörte er anscheinend nicht gern. Sein kleines Rattengesicht wurde völlig nichtssagend. Er saß da, starrte gerade vor sich hin auf die Straße und sagte nichts.

«Ich nehme an, Sie helfen, die Wettmaschinen oder so etwas Ähnliches in Betrieb zu halten», sagte ich.

«Das ist noch dämlicher», antwortete er. «Es macht doch keinen Spaß, diese ekelhaften Maschinen zu betätigen und Karten an Einfaltspinsel zu verkaufen. Das könnte jeder Trottel tun.»

Langes Schweigen.

Ein vollständiges Verzeichnis der Reihe <u>dtv</u> zweisprachig, in der es außer englisch-deutschen auch französisch-deutsche, italienisch-deutsche, spanisch-deutsche, portugiesisch-deutsche, russisch-deutsche, neugriechisch-deutsche, türkisch-deutsche und lateinisch-deutsche Bände gibt, ist erhältlich beim Deutschen Taschenbuch Verlag, Tumblingerstraße 21, 80337 München, www.dtv.de zweisprachig@dtv.de.